신입 여사원이 알아야 할 120가지 직장생활 가이드

새내기 직장여성이 알아야 할 예절과 근무요령을 글과 그림으로 쉽게 설명한 지침서

편집부 편
양정희 그림

남도

머 리 말

"나 취직됐어. 내일부터 출근이야." "어머, 정말 잘됐다. 얘, 취직하기가 하늘의 별 따긴데……" "하지만, 회사에 취직해도 조금 불안해. 회사에서 어떻게 해야 하는지 학교에서는 아무 것도 배우지 않았거든." "요령껏 잘 해봐. 그런 책도 구해서 읽어 보구. 사회생활이란 것은 자기 하기 나름이래."

그렇습니다. 사회생활은 자기 하기 나름입니다.

취직하기가 하늘의 별따기처럼 어려운 IMF시대에 모처럼 찾아온 절호의 기회를 당신의 세계로 만들어야 하지 않겠습니까?

그렇다면 당신은 이제 어떻게 해야 할까요? 당장 내일 아침부터 첫 출근을 하게 된다면 당신의 의상은? 메이크업 등등은? 그리고 예절과 행동은?

유일한 방법은 당신 스스로 자신을 개발하여 모두에게서 사랑받는 여사원이 되도록 노력하는 길밖에 없습니다.

회사에서 가장 인기있는 여사원은 절대로 IMF 따위에 밀려나는 일이 없습니다. 밀려나기는 커녕 더 좋은 자리들을 독차지할 수도 있고 안정적인 근무조건과 많은 보수, 그리고 장래의 승진이 보장될 것입니다.

지금부터 매력적인 여성, 즉 팔방미인이 되십시오.

이 책은 당신을 훌륭한 직장인으로 가꾸어 주는 120가지의 예절과 근무요령을 케이스별로 구분하여 알기 쉽게 그림과 함께 설명하였습니다. 이것은 당신의 직장에서 뿐만 아니라 가정과 사회에서도 꼭 필요한 예절입니다. 항상 기억하고 있으면 사회생활에서도 자신감이 샘솟을 것입니다..

그럼 첫 페이지부터 차근차근 읽어 보시고 자신이 의식하지 않아도 자연스럽게 행동으로 표현되도록 빠짐없이 기억하도록 하십시오.

당신의 보람된 직장생활과 빠른 승진을 기원합니다. - 편집부 -

차 례

제1장. 첫 출근을 위하여 ◦ 21
1. 마음의 준비 ◦ 22
2. 아는 것이 힘 ◦ 23
3. 밝고 청순한 모습 ◦ 24
4. 자기 회사를 알자 ◦ 25
5. 나에게 무슨 일이 맡겨질까? ◦ 26
6. 건강한 사람은 일이 즐겁다 ◦ 27

제2장. 직장 여성의 하루 ◦ 29
7. 깨끗한 몸을 가꾸자 ◦ 30
8. 운동과 아침 식사 ◦ 31
9. 필요한 소지품은 깔끔하게 ◦ 32
10. 단정한 옷차림 ◦ 33
11. 아침인사는 명랑하게 ◦ 34
12. 시작 전 5분이 중요하다 ◦ 35
13. 점심시간도 근무시간이다 ◦ 36
14. 점심시간이 끝나도 근무시간이다 ◦ 37

차 례

15. 퇴근하기 전 준비사항 ◦ 38
16. 퇴근할 때의 인사 ◦ 39
17. 퇴근 후 자유시간 ◦ 40
18. 하루를 되돌아보고 반성하자 ◦ 41
19. 시간 지키기를 생활화하자 ◦ 42

제3장. 새내기의 몸가짐 ◦ 43
20. 첫인상이 중요하다 ◦ 43
21. 새내기의 옷 맵시 ◦ 45
22. 예쁘게 화장하는 법 ◦ 47
23. 단정한 헤어스타일 ◦ 49
24. 예쁜 액세서리를 달 때 ◦ 51
25. 바른 자세로 근무하자 ◦ 53
26. 오랫동안 서서 근무할 때 ◦ 55
27. 앉아서 근무할 때 ◦ 56
28. 손님을 대할 때 시선은 어떻게? ◦ 57
29. 예쁘게 걷기 ◦ 58

차 례

30. 회사에서의 매너 ◦ 59
31. 대화할 때의 매너 ◦ 60
32. 자신있는 태도를 보여 준다 ◦ 60
33. 친절하고 다정다감한 태도 ◦ 61

제4장. 정리와 청결 ◦ 63
34. 내 책상은 항상 깔끔하게 ◦ 63
35. 다른 사람의 책상이 어지러울 때 ◦ 65
36. 서랍 속까지 정리하자 ◦ 66
37. 작은 물건도 깔끔하게 ◦ 67
38. 개인용품은 따로 정리 ◦ 68
39. 새내기의 필수품 ◦ 69
40. 실용적인 핸드백을 ◦ 70
41. 화장실을 이용할 때 ◦ 71
42. 화장실에서 대화는 짧게 ◦ 72
43. 탈의실 이용할 때 ◦ 73

차 례

제5장. 식사 예절 ◦ 75
44. 자기 자리에서 식사할 때 ◦ 75
45. 회사 식당을 이용할 때 ◦ 76
46. 식사 매너 ◦ 78

제6장. 대화 예절 ◦ 80
47. 올바른 대화법 ◦ 80
48. 인사하는 법 ◦ 82
49. 밝은 목소리로 다답하자 ◦ 86

제7장. 능숙한 대화법 ◦ 88
50. 말할 내용을 미리 정리한다 ◦ 89
51. 때와 장소를 가려서 말한다 ◦ 91
52. 바른말을 사용한다 ◦ 92
53. 직장에서 삼가야 할 말 ◦ 93

제8장. 인간관계 ◦ 96
54. 직장에서의 인간관계 ◦ 96

차 례

55. 따뜻한 마음으로 이해하자 ◦ 97
56. 상호 보완적 인간관계 ◦ 99
57. 상사와의 관계 ◦ 101
58. 상사로부터 꾸중을 들었을 때 ◦ 103
59. 상사로부터 칭찬을 받았을 때 ◦ 104
60. 선배와의 관계 ◦ 105
61. 동료와의 관계 ◦ 107
62. 직장 내에서의 이성 관계 ◦ 108

제9장. 직장 내 소문 ◦ 111
63. 가벼운 잡담이 뜬소문이 된다 ◦ 111
64. 뜬소문은 불행의 씨앗 ◦ 113
65. 뜬소문을 믿지 마라 ◦ 114

제10장. 근무할 때의 요령 ◦ 115
66. 업무를 빨리 파악하라 ◦ 115
67. 계획수립—실행—반성한다 ◦ 117
68. 스스로 방법을 생각해 보자 ◦ 118

차 례

제11장. 업무지시를 받을 때 ◦ 119
69. 지시는 정확하게 받는다 ◦ 119
70. 지시받을 때의 포인트 ◦ 120
71. 지시받은 내용을 메모한다 ◦ 122
72. 메모는 六何原則에 따른다 ◦ 123
73. 메모는 알아보기 쉽게 깨끗이 ◦ 124
74. 적극적인 태도로 일한다 ◦ 125
75. 시간 내에 끝내지 못할 때 ◦ 126

제12장. 상사에게 보고할 때 ◦ 127
76. 보고는 정확하게 한다 ◦ 127
77. 보고해야 할 내용 ◦ 128
78. 보고하는 방법 ◦ 129
79. 한번 더 생각하고 보고하자 ◦ 130

제13장. 전화 예절 ◦ 131
80. 전화할 때의 기본 예절 ◦ 131
81. 상대가 당신을 보고 있다 ◦ 132
82. 의사 전달을 정확하게 ◦ 133

차　례

83. 전화를 걸 때 ◦ 134
84. 전화할 때의 예절 ◦ 136
85. 전화를 받을 때 ◦ 138
86. 전화를 받는 순서 ◦ 139
87. 전화 받을 때의 예절 ◦ 140
88. 사사로운 전화는 짧게 ◦ 141
89. 잘못 걸려온 전화도 친절하게 ◦ 142
90. 불평 전화는 능숙하게 ◦ 143
91. 전화 메모 양식 ◦ 144

제14장. 손님 접대하기 ◦ 145
92. 손님이 방문했을 때 ◦ 145
93. 손님에게 인사하기 ◦ 147
94. 명함 교환하기 ◦ 149
95. 손님의 명함을 받을 때 ◦ 150
96. 자신의 명함을 줄 때 ◦ 153
97. 손님의 신분과 용건을 확인한다 ◦ 155
98. 상사에게 손님의 방문을 알린다 ◦ 156

차 례

제15장. 손님을 안내하기 ◦ 157
99. 상사에게 안내할 때 ◦ 157
100. 손님을 엘리베이터로 안내할 때 ◦ 159
101. 응접실로 안내할 때 ◦ 161
102. 문을 열 때와 닫을 때 ◦ 163
103. 응접실 준비하기 ◦ 165
104. 손님에게 의자를 권한다 ◦ 166

제16장. 차 예절 ◦ 168
105. 차를 대접할 경우 ◦ 168
106. 차를 준비한다 ◦ 169
107. 차를 가져갈 때 ◦ 170
108. 차를 드릴 때 ◦ 171
109. 찻잔을 놓는 법 ◦ 172
110. 찻잔을 세팅하는 법 ◦ 173
111.차를 갈아 놓을 때 ◦ 174
112. 상담중 용건을 전달할 때 ◦ 175
113. 손님을 배웅할 때 ◦ 176

차 례

제17장. 문서취급 요령 ◦ 178
114. 우편물 취급 ◦ 178
115. 편지를 쓸 때 ◦ 179
116. 봉투를 쓰는 법 ◦ 181
117. 문서를 접수할 때 ◦ 182

제 18장. 문서의 정리 ◦ 183
118. 정보를 분류한다 ◦ 183
119. 명함의 정리 ◦ 184
120. 신문과 잡지의 정리 ◦ 185

제1장 첫 출근을 위하여

몇십 대 일의 관문을 뚫고 당당히 입사시험에 합격한 당신은 지금 희망에 가슴이 설레일 겁니다. 학창시절, 그 어려운 공부도 사실은 사회생활을 위한 것이었으니까요. 몸과 마음 모두 건강하고 아름다운 외모 또한 자신이 있으니까요.

하지만 이제부터 새로운 미지의 세계로 들어가야 한다고 생각하니 어쩐지 불안해지는 것은 왜일까요?

'사회' 라는 조직 속에서 새로운 삶을 시작하게 되니까요. 하지만 걱정하지 말고 가슴을 쭉 펴고 심호흡을 하십시오.

직장에는 상사, 선후배, 동료를 포함한 수많은 사람들과 다양한 부서들이 있습니다. 당신은 그곳의 어느 한 부서로 발령을 받게 될 것이며 선배와 동료들이 새로 입사한 귀여운 당신의 믿음직한 조언자가 될 테니까요.

그림1. 첫 출근은 새로운 인생의 시작, 창공을 향해 날개를 펼치십시오.

1 마음의 준비

— 새내기들에게 첫직장에 대한 의미는 대단히 중요합니다. 따라서 출근하기 전 마음의 준비는 철저히 해야 합니다.

— 가장 먼저 책임감을 가지십시오.자신의 일에 책임을 가진다는 것은 성공적인 직장생활을 하는 데 필수 조건입니다.

— 직장이란 단순하게 정해진 시간 주어진 일을 하고 때마다 월급을 받는 것으로 끝나는 것이 아닙니다. 근무시간은 형식적으로 몇 시부터 몇 시까지라고 정해져 있습니다.

— 당신에게 일이 주어지면, 당신은 시간에 구애받지 말고 그 일에 대해 책임을 져야 합니다.

— 먼저 회사의 업무를 파악하도록 노력하십시오. 처음에는 아무 것도 모르는 쑥맥이지만 눈치껏 따라하고 스스로 열심히 노력하면 곧 능수능란하게 할 수 있습니다.

— 그렇게 함으로서 당신은 여러 가지 능력을 익힌 보다 매력적인 한 인간으로 성장하여 가는 것입니다.

— 첫 출근에 앞서서 벽에 걸려 있는 거울 속에 보이는 자신에게 "나는 책임을 다할 것입니다." 하고 약속을 해보십시오. 발걸음이 확실히 가벼워질 것입니다.

— 그리고 이제부터 프로 여성이 되겠다고 다짐하십시오.

2 아는 것이 힘

— 매일 아침 신문을 읽읍시다. 사회는 빠르게 변화하고 있습니다. 남보다 뒤지지 않게 사회 문제에 관심을 가지십시오.

— 신문과 잡지를 읽고 지금 우리나라와 세계에서는 무엇이 문제가 되고 있는가에 관심을 기울이십시오.

— 여자들의 관심은 요리나 패션, 이성 문제에 집중되기 쉽습니다. 그러나 이제부터는 정치, 경제, 문화, 예술 등 여러 분야에 관심을 가져야 합니다.

— 교양은 매일 조금씩 쌓아가면 얼마 후에는 교양있는 여성으로 변한 자신의 모습을 발견하게 될 것입니다.

그림2. 매일 신문과 뉴스를 청취하고 문화, 예술에 대한 지식도 쌓읍시다.

3 밝고 청순한 모습으로 가꾸자

— 자신의 모습을 밝고 청순한 모습으로 가꾸어 봅시다. 생기발랄한 여성은 회사 안에서 뿐만 아니라 밖에서도 대단히 좋은 평가를 받습니다.

— 손님에게는 당신이 바로 회사의 이미지 그 자체입니다. 친절하고 웃는 낯으로 인사를 하면 회사의 평가가 달라집니다.

— 이러한 노력은 회사를 위한 것이 아닙니다. 바로 당신 자신의 미래를 위한 것입니다.

— 아침 출근은 밝게 웃으며 시작합시다. 그것이 바로 매력적인 여성이 되는 길입니다.

4 자기 회사를 알자

— 먼저 당신의 회사에 대해서 자세히 알아둘 필요가 있습니다. 당신은 이미 회사에 대한 소문과 이미지, 규모와 장래성에 대하여 많은 생각을 했을 것입니다.

— 회사의 카달로그를 읽어 보셨습니까?. 그리고 입사시험에 합격한 후 회사의 개괄적인 사항에 대해 교육을 받으셨습니까? 하지만 그것만 가지고는 부족합니다. 회사의 유능한 직원이 되려면 가능한 한 빨리 더 많은 것을 알아내도록 하십시오.

— 회사의 주소, 전화번호, 현재의 사장은 알고 있을 겁니다. 그러나 그것을 안다 하여 유능한 직원이라고 할 수 없습니다,

— 초대 사장, 즉 회사를 설립한 사람은 누구인지, 회사 설립 년월일, 자본금, 경영이념, 종업원 수, 노동조합, 본사와 공장의 주소등 일반적인 것은 줄줄 외우고 있어야 합니다.

— 나아가 지사의 주소및 전화번호, 주요 거래처, 취급 상품, 매출액 등도 알아두지 않으면 안됩니다.

— 외부에서 손님들이 방문하여 회사에 대해서 물어올 때 당신은 주저하지 않고 즉시 정확하게 대답할 수 있어야 합니다.

— 아직 모르는 것이 있을 때는 틈틈이 선배들에게 물어보십시오. 그리고 회사의 홈페이지나 각종 선전 자료들을 섭렵하도록 하십시오.

— 당신이 회사 전체를 파악하려고 열심히 노력한다면 곧 당신에게도 중요한 업무가 맡겨질 것입니다. 그런 각오로 첫 출근에 임해 보세요. 의욕과 자신감이 넘칠 것입니다.

그림3. 손님이 질문할 때 이 정도는 즉시 대답합시다. 회사 비밀만은 빼고.

5 나에게 무슨 일이 맡겨질까?

— 회사 안에는, 다양한 여러 가지 부서가 있습니다.

— 회사는 각각의 부서를 종횡으로 연결해서 일이 진행되고 있으며, 직원들은 그 안에서 역할을 분담하고 있습니다.

— 새로 들어온 새내기들은 각자의 전공과 적성에 맞는 부서로 배치됩니다. 그곳에서 전임자나 선배들이 하던 몫을 나누어 받는 것입니다.

— 일을 맡게 되면, 그 일로 말미암아 자신이 어떤 위치에서 어떤 역할을 하고 있는지 빨리 파악해야 합니다.

— 새내기들에게 처음 며칠 동안은 아주 중요합니다.

— 며칠동안은 상사와 선배들을 소개하고 분위기를 익히도록 여유가 주어집니다. 하지만 방심은 절대 금물입니다.

— 상사와 선배들은 이때 실눈을 뜨고 새내기들을 요모조모로 뜯어봅니다. 그리고 알맞는 사람을 골라내는 것입니다.

— 자신에게 맡겨진 업무가 중요하지도 않고 성미에 맞는 일이 아닐지라도 당신은 성의껏 일을 해야 합니다. 왜냐하면 그것은 하나의 미끼이니까요.

— 그리고 자신이 작성한 서류가 어디를 돌아서 어떻게 처리가 되는지 알고 있어야 합니다. 아무리 작고, 하찮은 일도 그것은 회사에서 필요하기 때문에 진행되고 있는 것입니다.

— 무엇이든 하겠다는 각오가 되어 있다면 당신은 모두에게 사랑받는 여사원이 될 수 있습니다.

6 건강한 사람은 일이 즐겁다

— 학생시절, 테니스나 스키 등 운동을 열심히 했는데 회사에 입사하고 난 후 운동을 멀리 하고 있지는 않습니까?

— 주말에 테니스를 하거나 등산을 하여 보세요. 적당한 운동을 하면 업무에서 쌓인 스트레스를 말끔히 발산하게 됩니다.

— 그러나 너무 지나치게 운동을 하거나 무리한 등산을 하면 오히려 건강에 역효과를 가져옵니다. 모든 운동은 자기 체력에 맞게 적당히 즐기는 것이 좋습니다.

— 몸이 건강하지 않으면 생기 발랄한 모습으로 일을 할 수가 없습니다.

그림4. 몸이 약하면 걱정입니다. 적당한 운동으로 건강을 유지합시다.

— 어디 그 뿐입니까. 아무리 잘하려고 노력해도 일의 능률은 도무지 오르지 않고, 자신도 모르게 자꾸 사소한 실수를 하게 될 것입니다.

— 당신이 병으로 며칠 동안 결석을 하게 되면 당신이 하던 일은 중지되거나 다른 사람이 대신하게 되므로 동료들에게 피해를 주게 됩니다.

— 건강을 관리하는 것은 대단히 중요한 일입니다. 평소에 건강에 유의하는 것은 물론, 건강진단도 꼭 받도록 하십시오.

— 언제나 건강한 여성으로서 밝고 발랄한 인상을 가지도록 노력합시다. 아름답고 매력적인 여성에게는 항상 넓고 큰 미래가 보장됩니다.

제2장 직장 여성의 하루

— 직장에 출근한 여성들은 어떻게 하루를 보낼까요? 그것은 학생시절 생각했던 것처럼 멋있고 화려한 것일까요?

— 회사에는 통상 나름대로의 여러 가지 규칙이 있습니다. 어떤 회사는 매일 쳇바퀴처럼 되풀이 되는 똑같은 근무를 하지만 어떤 회사는 컴퓨터와 인터넷 등 첨단 정보기기를 이용하여 재택근무를 하기도 합니다.

— 어느 형태이건 당신이 회사의 규칙을 준수하고 예의 바르고 열심히 하려는 노력만 있다면 직장생활은 즐겁고 보람있는 생활이 될 것입니다.

— 아침부터 저녁 퇴근할 때까지 당신이 새내기로서 주의해야 할 일, 기억해야 할 일들을 간단히 그림과 함께 설명하였으니 하나씩 검토해 봅시다.

그림5. 매일 아침 상쾌하고 발랄한 모습이 되도록 깨끗한 몸을 가꿉시다.

7 깨끗한 몸을 가꾸자

— 혹시 당신의 입에서 구취나 입냄새가 나지 않습니까? 그렇다면 그건 정말 낭패입니다. 건강이 나쁘면 치아가 누렇게 되고 입에서 구취와 입냄새가 나서 상대방을 불쾌하게 합니다.

— 깨끗하고 하얀 치아는 건강하다는 신호입니다. 하루 3번 이상 양치질을 하되 보이지 않는 곳까지 정성을 다해 닦고 껌이나 가글 같은 것을 준비해 두었다가 사용하십시오.

— 매일 아침, 여러 사람에게 상쾌한 모습으로 출근하는 것은 새내기들의 필수조건입니다. 깨끗한 몸과 단정한 차림을 가지도록 노력하십시오.

그림6. 아침 식사와 가벼운 운동을 거르지 말고 꼭 실시합시다.

8 운동과 아침 식사

— 당신은 아침에 간신히 자리에서 일어나지 않습니까? 그리고 졸리운 눈을 부비면서 아침식사를 드는 둥 마는 둥하고 회사로 달려가지 않습니까?

— 그렇게 하면 안 됩니다. 아침에 일찍 일어나 가벼운 운동으로 워밍업을 하면 전신의 피가 힘차게 돌기 시작하고 각각의 기관들이 잠에서 깨어나 정상적인 활동을 시작합니다.

— 꼭 식사를 하십시오. 식사는 천천히 잘 씹어서 먹읍시다. 아침식사를 거르는 것은 금물입니다. 점심시간이 되기 전에 허기가 지니까 적은 양이라도 반드시 먹는 습관을 가집시다.

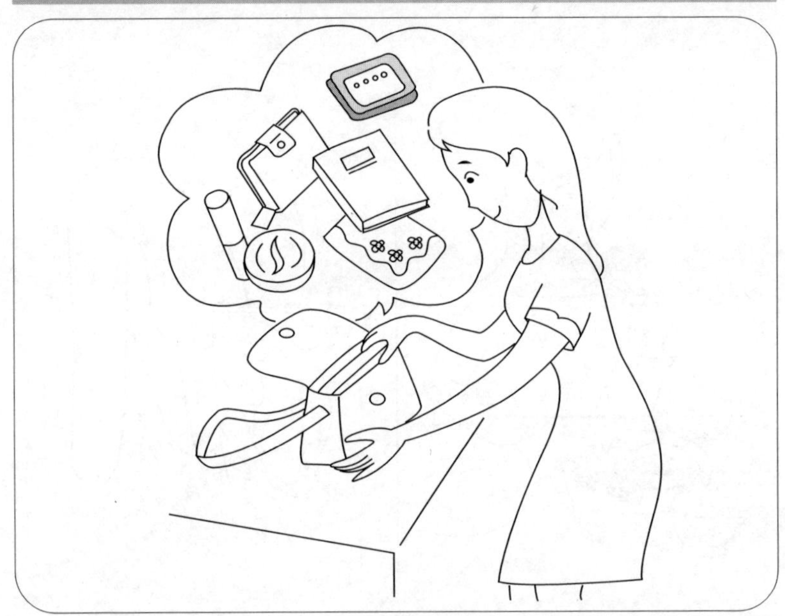

그림7. 필요한 물건을 매일 아침 챙기고 쉽게 꺼낼 수 있게 정리해 둡니다.

9 필요한 소지품은 깔끔하게

— 입사한 지 얼마 되지 않은 새내기들이 고참 선배에게 물건을 빌려달라고 한다면 상대는 어떻게 나올까요.

— 또, 언니들이 당신에게 물건을 빌려달라고 하는데 어디에 두었는지 몰라 쩔쩔매는 것도 민망스러운 일 아닙니까?.

— 당신이 필요한 필수품은 매일 아침 반드시 체크해야 합니다. 필요한 물건을 즉시 꺼낼 수 있도록 늘 깔끔하게 정리하십시오.

— 항상 준비가 되어 있는 사람만이 고지에 설 수 있다는 말은 빈말이 아닙니다. 명심하십시오.

그림8. 출근하는 여성은 청결하고 젊어보이는 복장이 좋습니다.

10 단정한 옷차림

— 출근할 때는 마음에 드는 예쁜 옷을 입고 가십시오.

— 그러나 당신은 지금 일을 하러 간다는 사실을 절대로 잊어서는 안 됩니다. 출퇴근 시간이란 아무리 회사 밖이라고 해도 근무시간의 연장이라고 생각해야 합니다.

— 회사 정문을 나서자마자 눈부시게 화려한 의상을 입고 완전히 다른 사람으로 변신하는 여성이 있기도 합니다만, 양식있는 사람들로서 이런 것은 신중하게 생각해 보아야 할 문제입니다.

— 복장은 자유입니다만 회사의 이미지를 손상하지 않는 청결하고 젊어보이는 복장을 택하도록 하십시오.

그림9. 명랑한 아침인사는 회사 분위기에 생기를 불어 넣습니다.

11 아침인사는 명랑하게

— "안녕하세요?" 하고 모든 사람에게 건네는 당신의 아침인사로 회사는 오늘도 즐거운 하루를 역동적으로 시작하게 됩니다.

— 하루 종일 근무하는 회사 분위기가 착 가라앉은 우울한 분위기라면 그건 누구나 싫어합니다. 당신이 그런 분위기를 확 바꾸세요. 일할 맛 나는 즐거운 분위기로…….

— 당신의 작은 웃음이 즐거운 일터를 만든다는 사실이 믿어지지 않습니까? 한번 시도해 보세요.

— 그 효과는 곧 바로 나타날 것입니다. 그것을 보고 제일 먼저 당신 자신이 놀라게 될 겁니다.

그림10. 빨리 근무복으로 갈아입고 일을 할 수 있는 준비가 필요합니다.

12 시작 전 5분이 중요하다

— 근무시간이 될 때까지 당신은 무슨 일을 합니까? 혹시 화장실에서 거울을 들여다보며 화장에 몰두하지는 않습니까?

— 회사에서 화장이라니 그건 정말 곤란합니다. 아침 화장은 이미 집을 나서기 전에 해야 하니까요.

— 당신은 근무복을 갈아입고 사무실과 책상 주변의 정리정돈 등 시작하기 전에 필요한 일을 미리 끝내도록 하십시오.

— 그리고 준비가 되어 있다는 당당한 태도를 보여 줍니다.

— "무슨 일이든 부탁하세요. 나는 만반의 준비가 되었어요." 라고 말입니다.

그림11. 점심 시간에는 책상을 깨끗이 정리하고 동료에게 알리고 나갑시다.

13 점심 시간도 근무시간이다

— 점심 시간입니다. 이미 배도 몹시 고픈 터여서 동료가 부르는 바람에 무심코 따라서 일어설 때가 많습니다.

—그러나 점심을 먹으러 갈 때 연필이나 기타 사무용품 등을 어지럽혀 놓은 채 자리를 떠나서는 안 됩니다.

— 남자 직원들도 그런 행동은 별로 하지 않습니다. 하물며 여성인 당신은 말할 나위도 없겠지요.

— 하던 일을 멈추고 책상을 깔끔히 정리하고 난 후, 주위 사람에게 작은 목소리로 점심을 먹으러 간다고 말하고 조용히 사무실을 걸어 나오십시오. 한결 보기가 좋습니다.

그림12. 점심 후에도 계속 수다를 떨면 안 됩니다. 빨리 일을 시작합시다.

14 점심 시간이 끝나도 근무시간이다

— 맛있는 점심 식사가 끝나면 곧이어 근무 시간을 알리는 벨이 울립니다. 어떤 경우엔 커피도 마실 시간이 부족합니다.

— 하지만 당신은 항상 시간을 체크하고 있다가 벨이 울리기 전에 자리에 앉아 오후 근무 준비를 해야 합니다.

— 벨이 울렸는데도 불구하고 동료들과 계속 수다를 떨고 있다면 좋아할 사람은 아무도 없습니다.

— 일을 시작하는데도 못 들은 척하거나 계속해서 딴청을 부리는 행동을 해서는 안 됩니다. 휴식시간의 약간 풀어진 기분을 빨리 끝내고 다시 정신을 가다듬고 일을 합시다.

그림13. 퇴근 전에 안절부절은 금물. 하루 일을 차분하게 정돈합시다.

15 퇴근하기 전 준비사항

— 퇴근시간이 가까워 오면 친구나 가족을 빨리 만나고 싶겠지요? 그런 생각을 하면 날아갈 것 같은 기분이 듭니다.

— 그렇지만 다른 직원들이 보는 앞에서 안절부절하며 책상 위의 물건을 남들보다 제일 먼저 정리하면 안 됩니다.

— 퇴근하기 전 5분 동안, 당신은 하루 일을 돌이켜 보고 해야 할 일 중에 빠트린 것이 없었는지 점검해야 합니다.

— 그리고 나서 내일 해야 할 일을 미리 생각해 보고 마음속으로 계획을 세우거나 따로 메모를 해 두십시오.

— 그렇게 하셨다구요? 그럼 됐습니다. 이제 퇴근하십시오.

그림14. 퇴근 인사를 하며 남아있는 동료에게 커피 한 잔을 주면 어떨까요.

16 퇴근할 때의 인사

— 퇴근을 할 때 아직 사무실에 남아 있는 동료에게 먼저 퇴근하게 되어 미안하다는 인사를 합니다.

— 오늘 하루도 무사히 마쳤다는 생각에 발걸음이 가벼워질 겁니다. 출근할 때처럼 밝은 얼굴로 사무실을 나오십시오.

— 참, 만일 회사에 남아서 잔업을 하고 있는 선배가 있으면 커피 한잔을 준비해 주고 오는 것이 좋지 않을까요?

— 늦게까지 혼자 남아서 수고하는 사람에게 커피 한잔을 준다는 것은 별로 큰 일도 아닙니다. 하지만 받는 사람은 당신의 아름다운 마음을 다시 생각하게 됩니다.

그림15. 퇴근 후, 친구를 만나거나 취미생활로 생활 리듬을 찾아보십시오.

17 퇴근 후 자유시간

— 자, 퇴근을 하였으니 이제부터 무거운 부담감을 털어버리고 당신만의 자유시간을 마음껏 즐겨보세요.

— 자유시간을 자신의 취향대로 보내는 것은 생활에 리듬을 갖게 하는 비결입니다.

— 자신만의 시간을 이용하여 개인적인 친구를 만나거나 학원에 가서 배우고 싶은 것을 수강하던가 음악이나 영화를 보는 등 정서활동을 하면 생활에 큰 도움이 될 것입니다..

— 친구들을 만나면 그날 있었던 일을 미주알 고주알 재잘거리는 여자들이 많습니다만 절대로 회사일은 말하지 마십시오..

그림16. 오늘을 결산하고 보다 나은 내일을 향한 도약을 꿈꾸어 봅시다.

18 하루를 되돌아보고 반성하자

— 오늘 하루는 어떻습니까? 실수한 일은 없었나요?

— 그렇다면 보람찬 하루가 되었겠군요. 어쩌면 더 잘할 수도 있었는데 그렇지 못해서 약간 아쉬운 일은 없었습니까?

— 하지만 약간 아쉬운 점은 내일 열심히 노력해서 다시 잘해 보도록 합시다.

— 주의해야 할 점은, 오늘 좋지 않은 일로 기분이 언짢았던 일이 있었다면 절대 내일까지 가져가지 마십시오.

— 오늘 즐거웠던 일, 어려웠던 일들을 경험으로 삼아 보다 나은 내일을 향하여 분발합시다. — 화이팅!

그림17. 한국 사람은 시간관념이 없다고 합니다. 이제 부터는 시간엄수.

19 시간 지키기를 생활화하자

— 혹시 늦잠으로 회사에 지각한 일은 없습니까? 지각이야 말로 아주 나쁜 행동입니다. 절대로 지각하지 마십시오.

— 지각하는 사람은 직장에서 사생활 때문에 문제가 많은 사람이라고 낙인을 찍히게 됩니다.

— 근무시간의 엄수. 이것은 사회에서 일하기 시작하는 순간부터 당신이 절대로 지키지 않으면 안 되는 일입니다.

— 직장에서 성공하고 싶으면 가장 먼저 출근하도록 하고 시간 지키기를 생활화하십시오.

— 하루를 효과적으로 사용하기 위한 계획을 세우십시오.

제3장 새내기의 몸가짐

20 첫 인상이 중요하다

— 새내기 여직원이 입사했을 때 제일 중요한 것은 그녀의 첫 인상입니다. 호감을 주는 단정한 용모는 환영을 받습니다.

— 평범하지만 깔끔한 복장에 화장도 전혀 하지 않았는데 산뜻한 느낌을 주는 여성들이 많습니다. 거기에다가 겸손한 말씨와 깍듯한 인사는 여직원으로서 손색이 없을 것입니다.

— 처음 대면할 때, 사람들은 먼저 눈에 보이는 외적인 모습으로 판단하는 경우가 많습니다. 사실 사람을 판단할 때는 내부에 숨어 있는 재질을 알아내야 하는데 아무래도 첫 대면에서 거기까지는 무리이니까요.

그림18. 때와 장소에 어울리는 몸치장을 하여 모두에게 호감을 줍시다.

— 따라서 당신은 첫 인상이 호감어린 모습이 되도록 스스로 자신을 가꾸어야 합니다. 복장과 헤어 스타일, 화장 등은 때와 장소에 어울리게 신경써야 합니다.

— 직장에 일을 하러 온 사람은, 거기에 어울리는 몸치장을 해야 합니다. 실용적이며 호감을 주는 사람이 됩시다.

— 너무 진하게 메이크업을 하면 출신 성분과 지성까지도 입방아에 오르거나 의심받게 됩니다.

— 화려한 고급 의상 역시 마찬가지입니다. 점수를 따기는 커녕 서로간에 이질감만 증폭시킵니다.

— 회사에서 자신이 어떻게 비쳐지고 있는지를 생각하여 좋은 인상을 가지도록 항상 주의합시다.

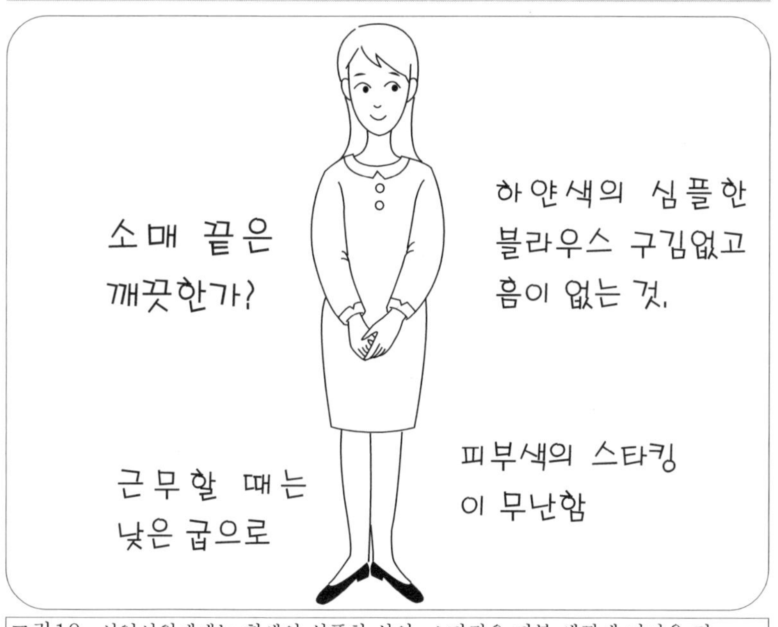

그림19. 신입사원에게는 흰색의 심플한 상의. 스타킹은 피부 색깔에 가까운 것

21 새내기의 옷맵시

— 그러면 이제부터 직장 여성들의 이상적인 차림새를 하나하나 얘기해 봅시다.

● 유니폼

당신은 회사에서 유니폼을 입습니까?.유니폼을 입을 경우 단추와 실밥풀림을 체크하고 자주 세탁을 하도록 합시다.

● 블라우스

블라우스에 대한 규칙이 있다면 그것에 맞게 입어야 합니다.

규칙이 없다면 블라우스는 하얀 색이 기본입니다. 그러나 엷은 무지나 줄무늬 등이 있는 심플한 것도 좋습니다.

그림20. 이처럼 화려한 옷은 회사 근무복으로는 어울리지 않습니다.

● 스타킹

될 수 있는 한 피부색깔과 비슷한 것을 골라 신도록 합니다. 근무 도중에 스타킹에 줄이 가는 것에 대비 여분을 준비합니다.

● 구두

활동하기에 편한 것이 좋습니다. 하이힐은 쉽게 피곤합니다.

검정색이나 유니폼에 맞는 안정된 색상이 좋습니다. 디자인은 심플한 것으로 발을 죄지 않는 것을 신도록 합시다.

● 샌달

실내에서 샌달을 신을 경우 화려한 것, 걸을 때 소리가 나는 것은 좋지 않습니다. 끈으로 발을 고정할 수 있는 것을 골라서 신도록 합시다.

그림21. 너무 화려한 메이크업은 회사 동료들을 어리둥절하게 합니다.

22 예쁘게 화장하는 법

● 화장

당신은 화장을 자연스럽게 합니까. 아니면 상당히 진하게 하는 편입니까?

파운데이션을 두텁게 칠하는 것은 피하고 입술 연지나 아이새도우의 색깔을 잘 선택하십시오. 눈섭은 반달처럼 하는 것이 좋습니다.

자연스러운 화장은 사회인의 에티켓이며 당신의 개성을 돋보여 밝고 건강한 이미지를 심어줍니다.

● 손톱은 청결하게

그림22. 모가나지 않게 적당하고 자연스러운 화장은 사회인의 에티켓 입니다.

매니큐어를 칠할 수 있다면 밝은 핑크색이나 투명한 색이 좋습니다. 그러나 짙은 색깔이나 펄은 피하도록 하십시오.

손톱은 깔끔하게 다듬어 청결을 유지하도록 항상 주의합시다.

● 좋은 피부는 즐거운 생활에서

피부가 건강하다는 것은 건강이 좋다는 표시입니다.

거친 피부는 불규칙한 생활, 영양의 불균형, 겹친 피로와 스트레스 때문입니다. 유쾌한 생활과 충분한 수면이 피부를 예쁘게 해줍니다.

피부는 청결하게 유지하도록 명심하십시오. 화장을 고칠 때는 언제나 손을 깨끗이 씻은 다음 고치도록 합시다.

그림23. 긴 생머리는 보기에 좋지만 묶지 않으면 이런 일이 일어날 수도 있습니다.

23 단정한 헤어스타일

— 아름다운 자신을 가꾸는데 헤어스타일이야말로 가장 중요하다고 할 수 있겠지요?

— 항상 청결한 머릿결은 상대방에게 좋은 인상을 줍니다.

— 너무 긴 머리, 부시시한 머릿결, 앞머리가 눈에까지 내려온 머리, 퍼머를 요란스럽게 하거나 지나치게 화려한 것은 직장여성에게 바람직스럽지 않습니다.

— 머리카락이 너무 길고 넓게 퍼져 있으면 고개를 숙이고 일을 할 때 책상 위로 흘러 내립니다. 또한 만원버스나 전철에서 옆사람의 얼굴에 닿는 경우가 있어 불쾌하게 합니다.

그림24. 헤어스타일은 청결감을 좌우합니다. 상쾌한 머릿결을 유지하도록 합시다.

— 자주 빗질을 하여 항상 단정한 머릿결을 유지하도록 합시다. 긴 머리카락은 끈으로 묶거나 예쁜 리본을 구입하여 매도록 합시다. 단, 리본을 사용할 경우에는 복장에 맞는 것을 고르도록 합시다.

— 사람들이 당신의 염색한 머리를 눈치챈다면 그것은 잘못된 것입니다. 어쩔 수 없이 염색을 해야할 경우 눈치채지 못하게 자연스럽게 보이는 색으로 염색을 하도록 하십시오.

— 회사에서 대화를 하거나 일을 하는 도중에 머리카락을 자주 만진다거나 머리모양에 신경을 쓰는 모습은 상대방을 불안하게 하므로 삼가도록 합시다.

그림25. 너무 길고 출렁거리는 목걸이나 화려한 액세서리는 눈에 거슬립니다.

24 예쁜 액세서리를 달 때

— 여직원들이 예쁜 액세서리 달고 있는 모습을 좋아하는 남성들이 많이 있습니다. 특히 당신의 모습은 한결 돋보이게 될 것입니다.

— 대부분의 여성들은 자신의 아름다움을 돋보이게 하기 위하여 반지나 팔찌, 목걸이, 귀걸이, 부로우치 등 예쁜 액세서리들을 달고 다니는 것을 좋아합니다.

— 그러나 대부분의 회사 유니폼은 여성들의 그런 바램과는 달리 예쁜 액세서리가 필요없도록 대부분 단순하게 디자인 되어 있습니다.

그림26. 커다란 귀걸이나 팔찌는 일을 할 때 걸리적거려서 불편합니다.

— 그리고 여직원들이 커다란 액세서리를 붙이고 있으면 일하는 데에 방해가 될 뿐만 아니라 주위 사람들의 신경을 거슬릴 수 있다하여 달갑지 않게 보는 경향이 있습니다.

— 그렇기 때문에 액세서리는 흔들릴 정도로 크지 않고 그다지 모나지 않는 것으로 고르는 것이 현명합니다.

— 그리고 회사의 동료들이나 방문객들보다 화려하게 보이는 것을 달고 다니는 것은 결코 좋은 인상을 준다고 할 수 없으므로 되도록 삼가하도록 합시다.

— 요즈음에는 시력이 좋지 않아 안경을 낀 젊은 여성들이 많습니다. 이 경우에도 유니폼과 어울리는 모습을 고려해서 안경테나 모양이 튀지 않는 것으로 골라서 끼도록 합시다.

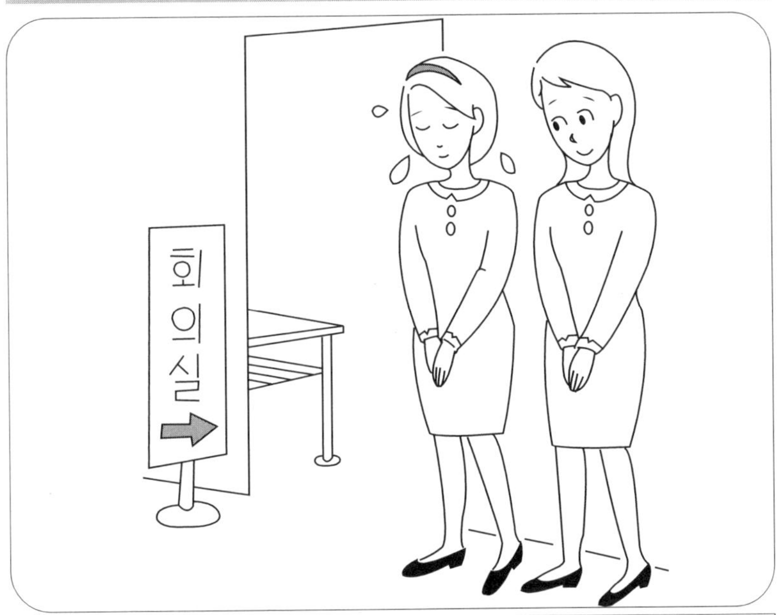

그림27. 오래 서서있 는 경우 피곤해 보이지 않도록! 발의 위치도 바르게 합니다.

25 바른 자세로 근무하자

— 여성들이 근무할 때 바른 자세를 갖는 것 또한 매우 중요합니다.

— 근무할 때 바른 자세를 하고 있는 사람은 바로 자신이 건강하다는 것을 보여주는 것입니다.

— 회사에서는 때때로 회의와 전시회 또는 세미나 등 장시간 동안 서서 근무해야 하는 경우가 있습니다.

— 그런 경우 당신은 아무리 피로하다고 해노 자세를 흐트러트릴 수가 없습니다. 이런 경우에는 동료와 상의해서 자주 교대를 하여 피로를 풀도록 하십시오.

그림28. 앉아서 근무할 때 다리를 꼬거나 흔드는 것은 좋지 않습니다

— 서서 근무할 때는 두발을 약간 벌리고 두손을 앞으로 모은 채 허리를 곧추 세워야 합니다.

— 그리고 계속해서 밝은 표정을 유지하는 것 또한 매우 중요합니다.

— 당신이 사람들에게 몹시 힘든 찡그린 모습, 땀을 뻘뻘 흘리는 모습, 무표정한 모습, 어리둥절한 모습을 보인다면 안 되니까요.

— 사람들의 왕래가 많은 안내 데스크 같은 데 앉아서 근무할 때는 다리를 꼬거나 발을 흔드는 것을 삼가야 합니다. 그렇게 하는 것은 책상 아래로 뻗은 '내 예쁜 다리를 보아 주세요.' 하는 것과 다를 바가 없으니까요.

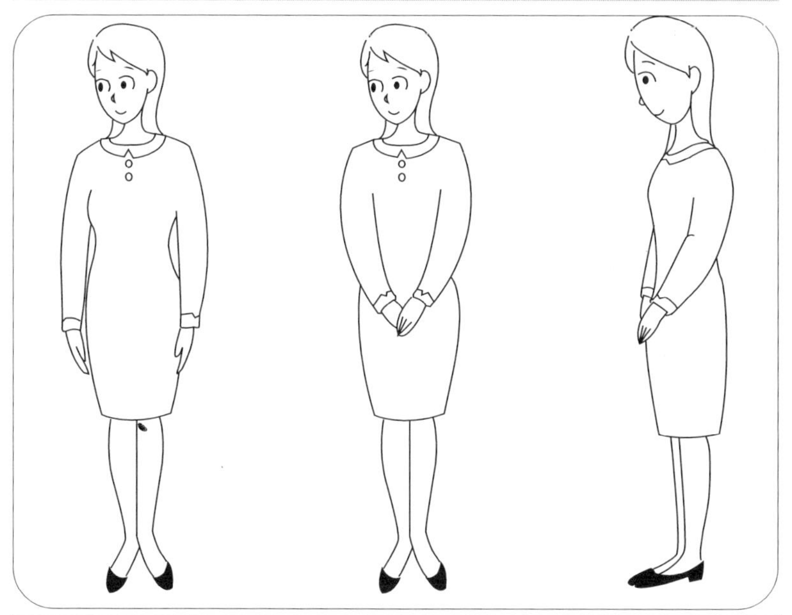

그림29. 등을 바로 세우고 두 발 뒤꿈치를 모으며 양손을 가볍게 포갭니다.

26 오랫 동안 서서 근무할 때

— 오랫 동안 서서 근무한다는 것은 쉬운 일이 아니지요?

— 하지만 직장여성, 특히 새내기들에게 그런 임무가 주어질 때 힘이 들더라도 부자연스럽지 않도록 등을 바로 세우고 두 발을 모아 발뒤꿈치를 붙이고 서 있도록 노력해야 합니다.

— 두 손은 앞으로 자연스럽게 모으거나 옆으로 붙이는 것이 좋으며 가슴을 곧추세워서 펴는 것보다는 약간 다소곳이 앞으로 숙이는 것이 정숙하고 아름답게 보입니다.

— 그러나 힘이 들 때는 가끔 흐트러지지 않게 하면서 굳은 몸을 풀어주어야 합니다.

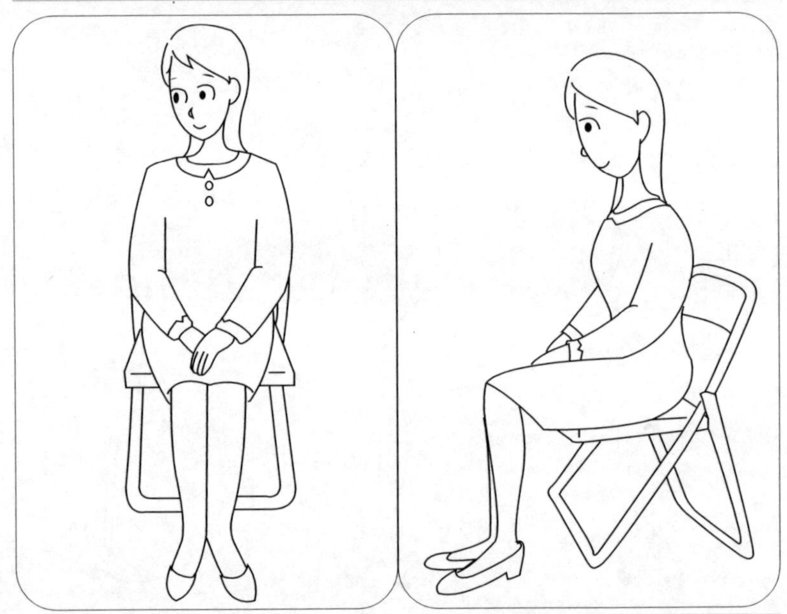

그림30. 무릎을 붙이고 의자를 바짝 당겨서 자세를 바르게 하고 앉습니다.

27 앉아서 근무할 때

— 의자에 앉아서 근무할 경우에도 다른 사람들이 주목하고 있다는 사실을 명심하고 항상 단정하고 일에 열중하고 있다는 자세를 가져야 합니다.

— 이때도 항상 무릎을 붙이고 발뒤꿈치를 당겨서 앉습니다. 등을 뒤로 젖힌다거나 다리를 꼬거나 발뒤꿈치를 들고 흔들거리는 것은 보기에 좋지 않습니다.

— 항상 주의하는 마음을 가지고 있다면 당연히 자세도 가지런하게 되기 마련입니다. 몸도 마음도 바르게 가지는 것이 일하는 사회인으로서 갖추어야 할 자세 아닙니까?

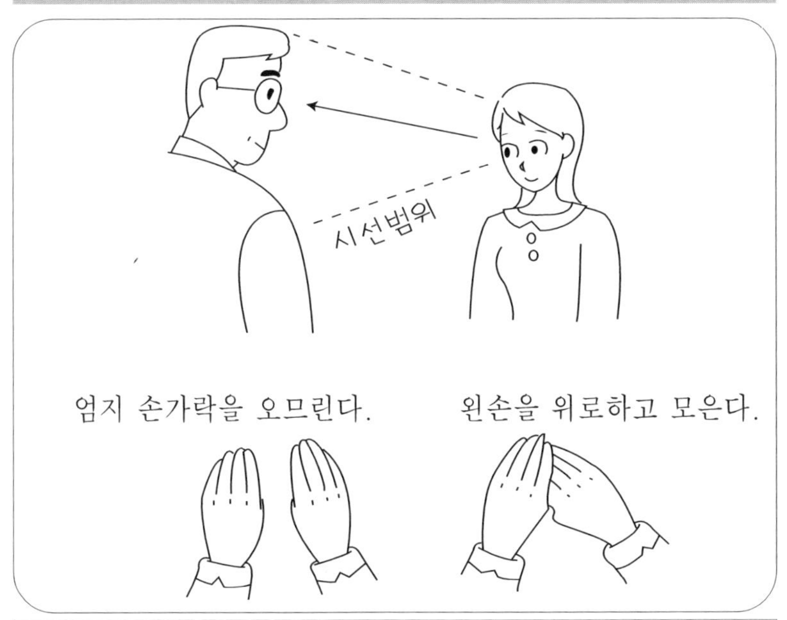

그림31. 눈을 정시하기 보다는 머리에서부터 가슴 사이에 시선을 둔다.

28 손님을 대할 때 시선은 어떻게?

— 당신은 혹시 상사나 손님과 이야기할 때 자신의 시선을 어디에 두어야 할지 몰라 당황스럽지 않습니까?

— 윗사람을 대할 때나 손님을 대할 때 상대방의 눈을 쳐다보는 것은 기본입니다. 하지만 너무 똑바로 빤히 쳐다보기는 민망합니다.

— 그런 경우를 당할 때 당황하거나 상대의 눈길을 피해 고개를 돌리거나 천상을 바라보거나 하지 마십시오.

— 자연스럽게 상대방의 머리에서 가슴 부분에 시선을 두고 대화를 하다가 때때로 상대의 눈을 쳐다보는 것이 좋습니다.

그림32. 몸을 곧게 편채 사뿐사뿐 가볍게 걷는다. 복도에서는 좌측통행을.

29 예쁘게 걷기

— 아름다운 당신이 초등학생처럼 구두 소리를 내며 걷거나 서두르며 복도를 뛰어다닌 일은 없습니까?

— 회사 내에서는 화재 사건이 일어나지 않는 한 발소리를 내면서 뛰어다니지 않는 것이 좋습니다.

— 당신은 항상 예쁘게 보이도록 앞을 보고 반듯한 자세로 사뿐사뿐 가볍게 걷도록 하십시오. 그리고 복도에서는 좌측통행이 원칙입니다.

— 복도에서는 작은 말소리도 크게 들리게 되므로 동료와 함께 걷는 도중에는 개인적인 잡담을 삼가는 것이 좋습니다.

그림33. 상냥하고 밝은 매너, 말을 또박또박하게 명쾌한 의사 전달을 하십시오.

30 회사에서의 매너

— 새내기 여직원의 친절하고 겸손한 태도를 접하면 상대방은 그녀에게 호감을 느끼게 되고 그로인해 이미 두 사람 사이에는 커뮤니케이션이 시작되는 것입니다.

— 하지만 반대로 당신의 태도가 무뚝뚝하다면 마지못해 일하는 직원처럼 보이며, 특히 외부 손님의 경우 그 태도로 미루어 그녀가 이 회사를 싫어하는 모양이구나 하고 생각하게 됩니다.

— 매너란 우선 밝고 상냥하고 시원시원하게 사람을 대하는 것입니다. 그렇지 않으면 상대에게 불쾌감을 주는 경우도 있기 때문입니다.

31 대화할 때의 매너

— 다른 사람과 대화할 때 당신은 말을 너무 빨리하거나 입 속에서 우물우물하지 않습니까?

— 사람마다 말하는 속도에는 개인차가 있기 때문에 당신도 말할 때 신경을 써야 하고 분명한 톤으로 말해야 합니다.

— 당신이 말을 빨리하면 동작자체가 성급한 인상을 주게 되기 때문에 상대방에게 불안감을 갖게 합니다. 또 당신이 일하는 태도가 건성건성하다고 생각할지도 모릅니다.

— 말을 할 때는 또박또박 말하는 것은 물론 필요할 때는 확실하게 다시 한번 더 확인하여 명쾌하게 행동하도록 하십시오.

32 자신있는 태도를 보여준다

— 듣기에 애매한 대답을 하거나 또는 머뭇거리는 태도를 보인다면 그것은 회사의 업무에 자신이 없다는 증거입니다.

— 만약 사람들을 대할 때 그러한 태도를 보인다면 그것은 자신이 없고 또 하는 일이 제대로 되어 있지 않다는 인상을 주게 됩니다.

— 자신의 의견이나 판단에 자신을 가지고 상대방에게 자신의 의사를 분명하게 전하도록 합시다.

— 그러나 너무 자신만만하여 제멋대로 하는 것도 안 됩니다. 어디까지나 겸손한 마음을 잊지 않도록 합시다.

그림34. 스스로 겸손하면서도 친숙한 분위기를 연출한다.

33 친절하고 다정다감한 태도

— 당신이 무뚝뚝한 표정으로 앉아 있으면 동료들은 당신에게 일을 부탁하기도 어렵고 말을 걸기도 어렵습니다.

— 손님에게 안색이 안 좋은 태도로 대하면 그 단 한번으로 당신 회사의 이미지는 나쁘게 되어 버립니다. 손님들이 부담없이 대할 수 있게 밝은 분위기를 만들도록 노력합시다.

— 만일 건방지게 보인다거나 필요 이상으로 겸손한 태도를 취한다면 당신의 주위에 사람이 모여들지 않을 것입니다.

— 또한 아무리 편안하게 해주는 상대라 하더라도 상대방을 대할 때에는 늘 예의를 지키지 않으면 안 됩니다.

— 사람들이 부담없이 친숙해질 수 있다는 것과 서로 허물이 없다는 것은 다른 것입니다.

— 친한 친구사이라 하더라도 회사에 들어와서 일하는 도중에는 회사 동료 사이이므로 개인적인 관계는 잠시 접어두고 서로 예의를 지켜서 깍듯이 대하도록 합시다.

— 친한 사람이라 해서 막무가내로 대하는 것은 다른 사람이 볼 때에는 매우 민망스러운 일입니다.

제4장 정리와 청결

34 내 책상은 항상 깔끔하게

— 당신 책상 주변은 당신이 관리해야 하는 영역인 것과 동시에 회사 업무의 일부가 되는 것입니다.

— 주변을 어지럽히고 있다는 것은 칠칠치 못한 사람이라는 평가를 받게 될 뿐 아니라 회사 전체의 이미지도 단정하지 못한 것으로 됩니다.

— 또한 일의 효율성은 제쳐두고라도 깔끔하게 정리정돈하여 사소한 자료들이라도 없어지는 것이 없도록 해야 합니다.

— 다음 일을 시작할 때에는 반드시 책상 위와 주변을 정리하여 불필요한 것들을 챙기도록 합시다.

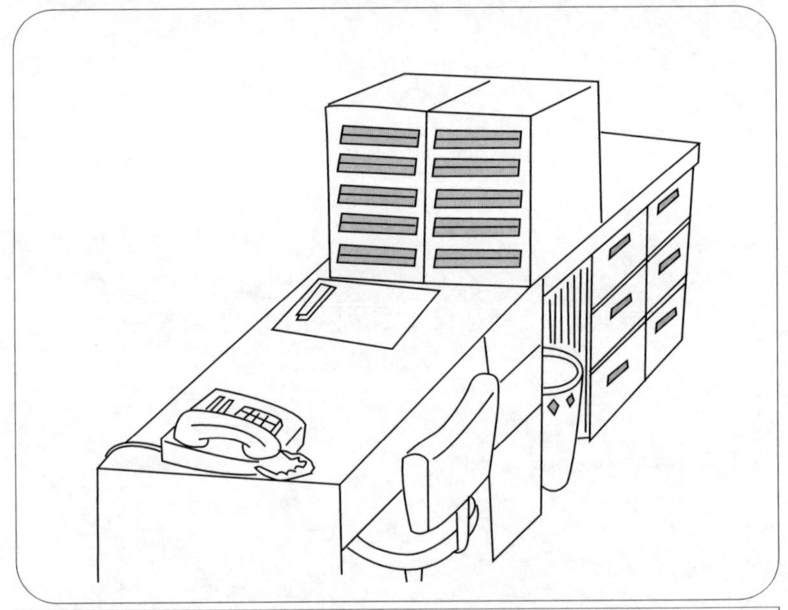

그림35. 책상 주위가 정돈되어 있으면 기분이 상쾌하고 일의 능률도 오릅니다.

— 여성들은 좋아하는 인형이나 여러 가지 장식품을 책상 위에 올려놓기를 좋아합니다.

— 그러나 업무에 하등 필요없는 조잡한 물건들 때문에 회사의 상사들은 당신이 일을 대하는 자세가 신중하지 않다는 생각을 할 수도 있습니다.

— 그러므로 언제 누가 보더라도 부끄럽지 않은 상태로 당신의 개인용품이나 회사에서는 불필요한 물건을 모두 치우고 당신의 책상을 깔끔하게 정리해 놓지 않으면 안 됩니다.

— 둘 데가 없어서 통로에 물건을 내려놓는 경우에도 통행하는 주위 사람에게 거추장스럽지 않도록 충분히 배려하도록 주의합시다.

그림36. 자신의 책상 뿐아니라 옆 사람의 책상에도 신경을 쓰도록 합시다.

35 다른 사람의 책상이 어지러울 때

— 다른 사람 책상의 물건은 일단 움직여서는 안 됩니다.

— 굳이 치워야 할 경우를 들자면, 빈 찻잔을 치우거나 재떨이를 바꿔 주는 것 정도의 예의는 필요합니다. 그러나 책상이 너무 어지럽혀져 있다고 생각될 때에는 주의하면서 청소를 하도록 합시다.

— 회사 내에 쓰레기가 떨어져 있으면 줍는다든가, 더러운 곳이 있으면 깨끗이 닦는 등의 마음의 배려는 항상 주위 사람의 기분을 상쾌하게 해 줍니다.

— 회사 전체가 정돈되어 있으면 일의 의욕도 높아지니까요.

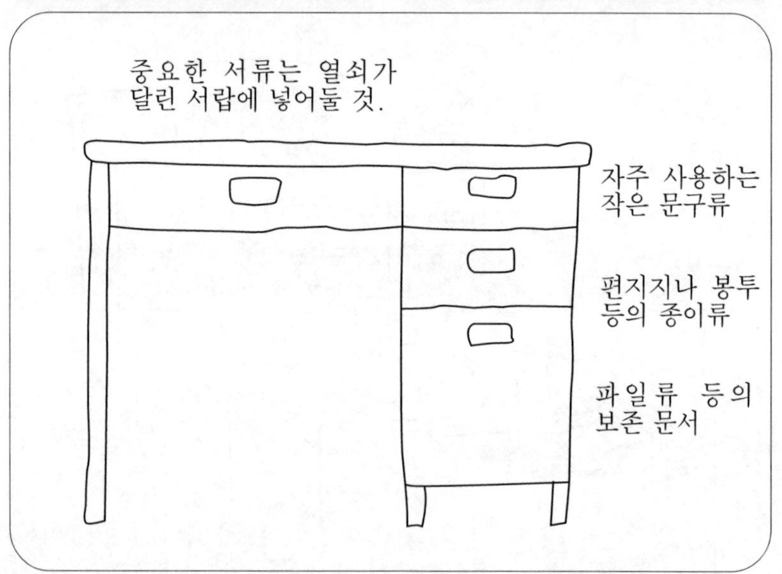

그림37. 서랍은 용도에 따라 정리합니다. 물건을 많이 사용하는 순서대로 넣어두고, 또 크기 등에 따라서 자기 나름대로 정리해 두고 그 위치를 익혀둡시다.

36 서랍 속까지 정리하자

— 자신의 책상이 아무리 깨끗하게 정돈되어 있어도 서랍 속이 지저분하다면 이것도 안 될 말입니다.

— 일을 할 때 걸리적거리는 물건을 손에 잡히는 대로 서랍에 집어넣는 사람들이 종종 있습니다.

— 하지만 그렇게 하면 나중에 그 물건이 필요해서 찾을 때 한바탕 소동을 일으키게 됩니다. 또한 불필요한 물건이 늘어나게 되는 원인이 되기도 합니다.

— 따라서 위 그림과 같이 서랍을 용도별로 정하여 사용한다면 적어도 그런 일은 미리 예방할 수가 있습니다.

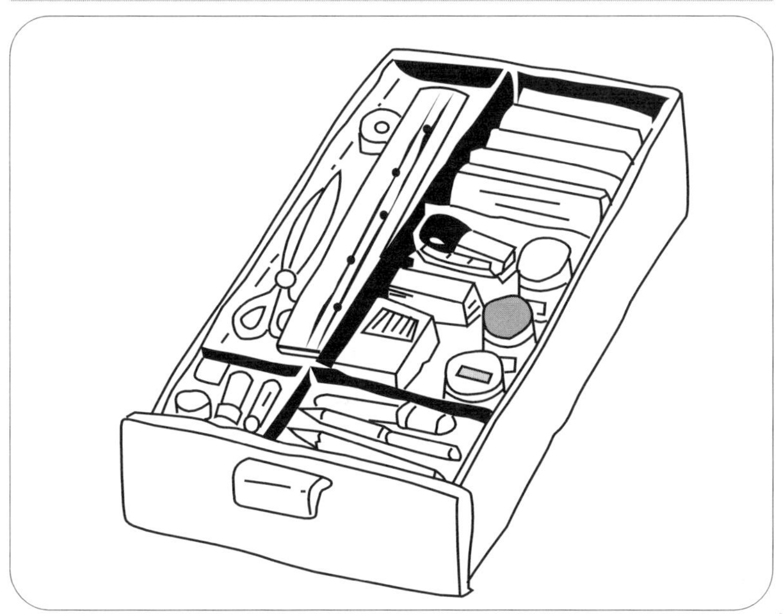

그림38. 작은 물건도 깔끔히 정리해 두면, 필요할 때 쉽게 찾아서 쓸수 있습니다.

37 작은 물건도 깔끔하게

— 한칸의 서랍에 지우개가 네다섯 개씩 들어가 있거나 또는 몽당연필이나 굳은 수정액 등 이제 더 이상 쓸 수 없게 된 것들이 그대로 쳐박혀 있지는 않습니까?

— 자신의 서랍 안에 무엇이 들어 있는지 파악하고 있지 않아서는 안됩니다. 서랍 안은 용도에 따라 깔끔히 분류하여 놓읍시다. 서랍 속은 항상 가장 사용하기 편리한 상태로 갖추어 놓도록 합시다.

— 그리고 모든 서류들은 깔끔하게 정리해야 합니다. 특히 중요한 서류는 반드시 정해진 장소에 보관합시다.

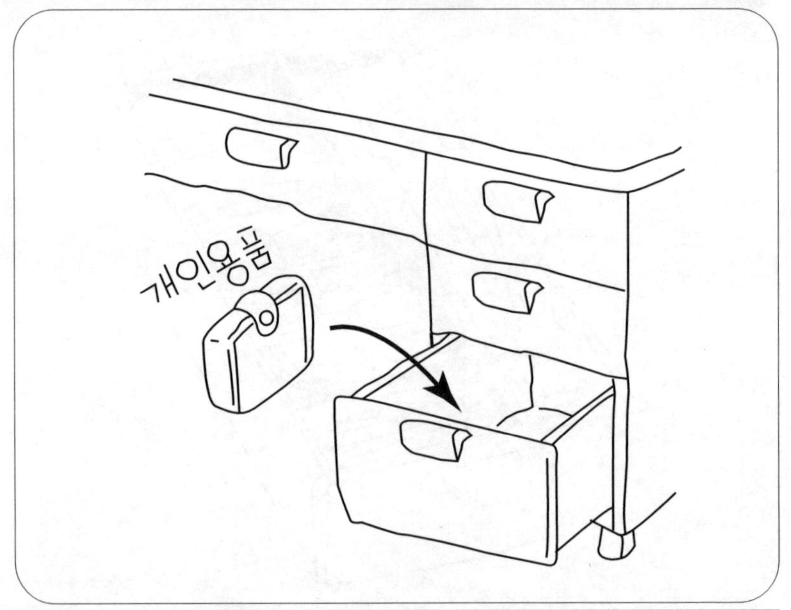

그림39. 개인 용품은 업무용과 섞이지 않게 한곳에 따로 정리하여 넣어둡시다.

38 개인용품은 따로 정리

— 개인의 사물이 책상 위에 어지럽게 놓여 있거나 구두 같은 보기에 썩 유쾌하지 않은 물건이 책상 밑에 놓여 있으면 별로 기분이 좋지 않습니다.

— 핸드백을 비롯한 손수건이나 티슈 등 개인용품, 그리고 개인 소품을 모두 모아서 한칸의 서랍에 넣어둡시다.

— 그리고 특히 여성들의 슬리퍼나 구두는 보이지 않게 잘 간수하십시오.

— 또한, 자주 사용하지 않는 것은 자기도 모르는 사이에 먼지가 쌓이기도 하므로 때때로 청소를 하도록 합시다.

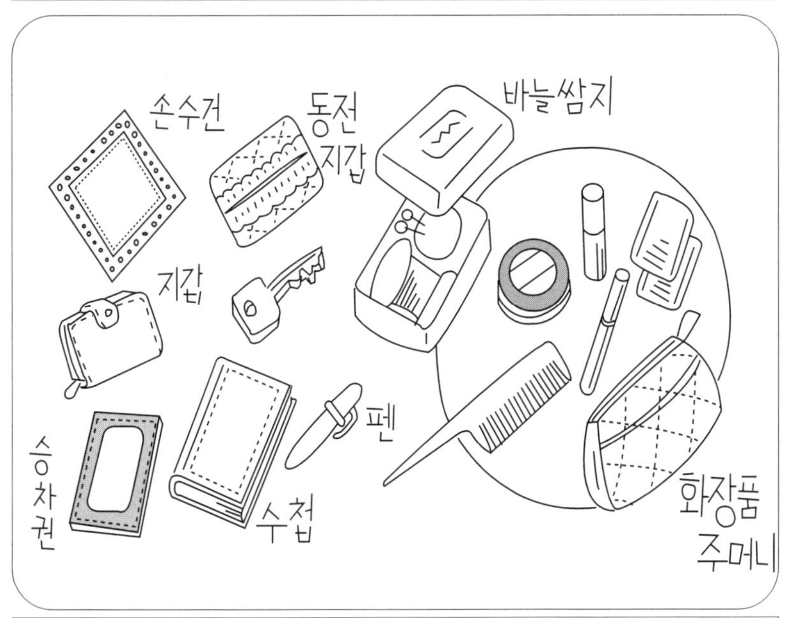

그림40. 자주 사용하지 않더라도 만일의 경우를 위하여 필수품은 꼭 챙깁시다.

39 새내기의 필수품

— 여성은 남성들보다 많은 소품들을 필요로 합니다. 매일 필요한 것도 아닌데도 기끔 필요한 경우를 대비해서 가지고 다녀야 합니다.

— 회사에 나오면서 여성들이 뭔가를 깜박 잊고 왔다고 하는 것은 변명에 불과하다고 생각하지 않습니까? 아침부터 잊어 버린 물건이 있다고 발을 동동거리는 것은 열심히 일하는 사람으로서 어쩐지 김이 빠져 버린 늣한 모습입니다.

— 깜빡 잊지 않으려면, 자신의 소지품을 언제나 깔끔하게 정리하여 첫눈에 알아보기 쉽도록 해놓읍시다.

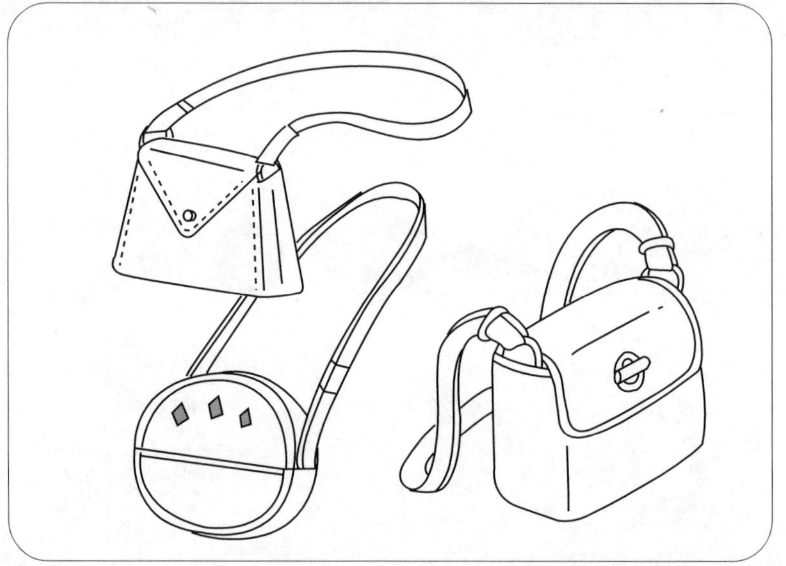

그림41. 출퇴근에는 어깨에 메는 것이 편합니다. 같은 것만 사용하면 빨리 낡아지므로 다른 것과 번갈아 사용하도록 합시다. 이때 소지품을 넣는 것을 잊지 맙시다.

40 실용적인 핸드백을

— 핸드백은 유행에 민감한 물건입니다. 새내기들은 유행에 민감하여 패션제품을 좋아합니다.

— 하지만 유행보다는 포켓이 많아서 사용하기 편리한 실용적인 것을 고르는 것이 생활하는데 도움이 됩니다.

— 그리고 각각의 물건을 넣는 포켓을 정해 놓으면 한가지를 찾기 위해서 핸드백을 뒤집는 일은 일어나지 않습니다.

— 집을 나설 때는 지갑에 돈이 들어 있는지 없는지도 확인하고, 또 손수건은 매일 새 것으로 갈아넣어서 언제나 깨끗하고 청결하게 물건을 간수하도록 합니다.

그림42. 화장실은 깨끗하게 사용하고 더러워졌으면 즉시 깨끗이 청소합시다.

41 화장실을 이용할 때

— 화장실은 외부의 손님도 사용하는 곳입니다. 누구나 사용할 수 있기 때문에 항상 주의하십시오.

— 우선 먼저 화장실은 깨끗이 사용하는 습관을 가지도록 노력합시다.

— 세면기를 사용한 다음에는 머리카락이 떨어져 있지 않은지 체크하고, 주변에 혹시 물기가 있으면 깨끗이 닦아놓습니다.

— 변기를 사용하였을 때에도 더러워지지는 않았는지, 깨끗한지 확인하여 주십시오. 화장실이 더러워져 있으면, 다음에 이용할 사람은 기분이 나쁘게 될 것입니다.

그림43. 화장실에서 동료끼리 긴 이야기는 금물입니다. 간단히 인사 정도로.

42 화장실에서 대화는 짧게

— 화장실을 휴게실 대신으로 착각하여 친한 사람들과 오랫동안 잡담을 하고 있어서는 안 됩니다.

— 화장실에서는 인사정도하는 것으로 충분합니다. 특히 화장실의 안쪽에 있는 사람과 밖에 있는 사람이 서로 얘기를 나누는 것은 정말 흉해 보입니다.

— 화장실 내에서 휴지를 끌어내리는 소리가 크게 울리는 것도 좋지 않습니다. 조용히 사용하도록 합시다.

— 또한, 생리용품 등의 개인용품은 눈에 띄지 않는 곳에 보기 흉하지 않게 놓아 두도록 하십시오.

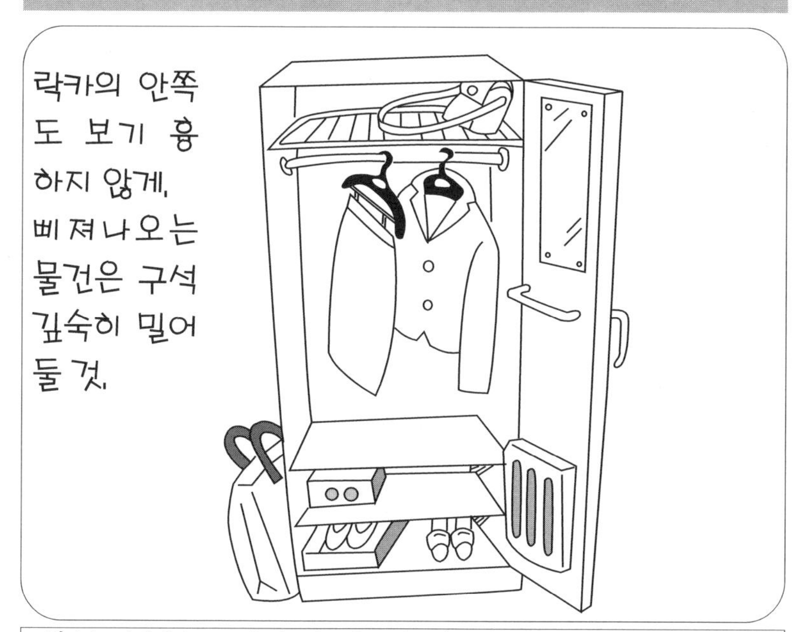

그림44. 탈의실은 모두의 것. 서로서로 깨끗하게 사용하도록 노력합시다.

43 탈의실 이용할 때

— 회사의 탈의실은 개인 락카가 준비되어 있는 곳도 있고, 또 공동으로 되어 있는 경우도 있습니다. 공동으로 사용할 경우엔 물론이며 자기 전용이라 하더라도 락카는 깔끔하게 정리하여 쓰도록 합시다.

— 옷이나 짐이 락카 안에 모두 들어가지 않을 경우엔 한쪽에 잘 정돈하여 보기 흉하지 않도록 하는 것이 예의입니다.

— 여자들끼리 쓰는 경우에 종종 아무렇게나 사용하는 경향이 있습니다. 쓰레기가 있거나 또는 더러운 곳이 있으면 그것을 먼저 발견한 사람이 자진해서 청소를 하도록 합시다.

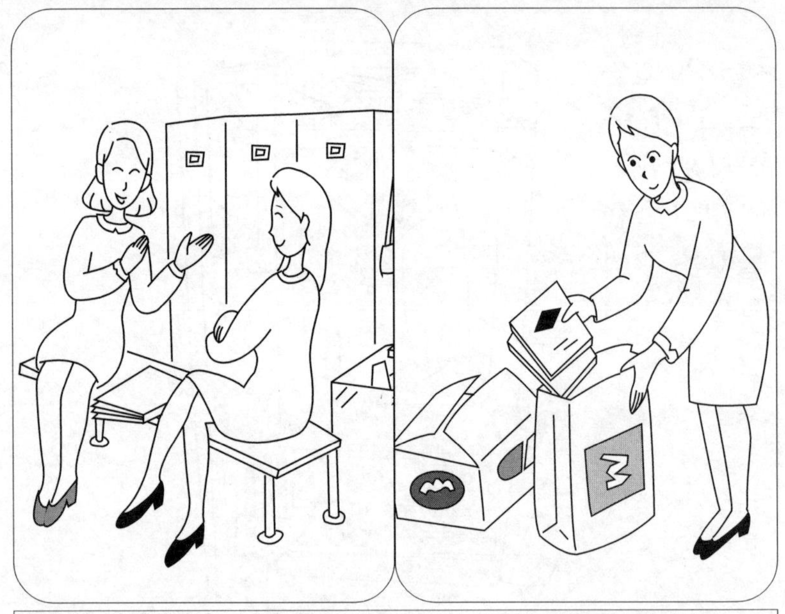

그림45. 탈의실에서 잡담은 짧게. 사용하지 않는 물건은 바로 처분합시다.

— 탈의실 안에서 큰 소리로 떠들면 그 소리가 밖에까지 들리는 경우도 있습니다.

— 탈의실이란 사람들이 옷을 갈아입기 위한 장소이므로 일을 끝냈으면 우물거리지 말고 얼른 자리를 비워 주도록 합시다.

— 또한 일과중에 탈의실을 들락거리는 것도 좋지 않습니다.

— 업무에 필요하지 않는 물건은 탈의실에 두는 것이 원칙입니다. 개인용품은 일터에는 가져가지 않도록 합시다. 그러나 탈의실에서 분실되는 경우가 있으므로 휴대품의 관리에 주의를 기울이도록 합니다.

— 또한, 사용하지 않게 된 것은 그곳에 두지 말고 즉시 버리든지 집으로 가져가든지 하십시오.

제5장 식사 예절

44 자기 자리에서 식사할 때

— 자기 자리에서 점심식사를 하는 경우, 주변 사람들이 무슨 일을 하는지 생각하여 보기에 흉하지 않도록 합시다.

— 선배가 아직 일을 하고 있는데, 몇 사람이 모여서 잡담을 나누며 식사를 하는 것은 곤란한 일입니다.

— 원래 일을 하는 장소인 만큼 주변에 있는 사람들에게 폐를 끼치는 행동은 삼가야 합니다. 또한 자칫하면 책상을 더럽게 할 수도 있으므로 주의해야 합니다.

— 자기 자리 외에 식사를 할 수 있는 곳이 있으면 그곳에서 식사를 하는 것이 현명합니다.

그림46. 식사는 즐겁게 합시다. 그렇지만 주위 사람에 대한 배려도 잊지 않도록!

45 회사 식당을 이용할 때

— 사원 식당에서는 순서를 지키는 것이 기본 매너입니다.

— 넓고 큰 테이블에 신입 여사원들끼리만 앉아 있는 것은 그리 보기 좋은 광경이 아닙니다. 여러 사람이 식사를 하는 곳이므로 빠르고 깨끗하게 식사를 한 후 다음 사람에게 자리를 양보하도록 합시다.

— 남자 사원과 같이 앉아서 식사를 할 경우에는 먹고 남은 음식이 보기 흉하지 않도록 주의합시다.

— 점심 시간에는 상사나 선배도 그 식당 어디에선가 식사를 하고 있을지 모릅니다.

그림47. 젓가락을 서로 엇갈려서 비벼대거나 테이블에 팔꿈치를 괸 채 먹는다거나. 한쪽 팔을 테이블 아래로 내리고 먹으면 주변 사람들로부터 눈총을 받게 됩니다

— 당신의 식사방법이 깨끗하지 못하면 다른 사람들은 그것도 당신의 이미지에 연결하여 기억해 둘 것입니다. 또, 식사하는 것보다도 이야기에 몰두해 있거나 또는 입에 음식물을 넣은 채 말을 하는 것은 예의범절에 어긋나는 일입니다.

— 또한 바로 당신의 맞은편에 상사가 앉아서 식사를 하면 엽차를 갖다드리는 정도의 정성을 잊지 않도록 하여 주십시오.

— 점심식사 후엔 반드시 화장실에서 거울을 보고 지워진 화장을 고치도록 합시다.

— 점심시간을 엄수하는 것도 중요합니다. 밖으로 식사를 하러 나갈 경우에도 반드시 제시간에 회사에 돌아와 자기 자리에 앉아서 일을 할 수 있도록 항상 염두에 둡시다.

그림48. 맛이 없는 듯 먹거나 손으로 입을 닦거나 접시에 쓰레기를 버리지 맙시다

46 식사 매너

— 테이블에 앉자마자 젓가락을 마주 비벼대는 사람, 팔꿈치를 테이블에 괸 채 먹는 사람, 한쪽 팔을 내리고 먹는 사람, 씹는 소리를 유난히 크게 내는 사람, 등등 식사하는 모습이 보기 흉하면 함께 식사를 하고 있는 사람의 기분도 불쾌합니다.

— "음식물 씹는 소리를 내는 사람 옆에서는 식사를 할 수 없어요." "음식물을 문 채로 말을 하는 것을 보면 기분이 불쾌해요." 하고 불평을 하는 사람들이 많습니다.

— 우선 당신의 식사 매너는 어떠합니까? 당신도 스스로는 알지 못하는 나쁜 버릇이 있는지 확인해 보십시오. .

그림49. 사원 식당은 회사원 모두가 이용하는 장소 입니다. 근처에 상사가 앉아서 식사를 하고 있으면 엽차를 날라다 주는 정도의 작은 정성을 보여줍시다.

— 자신도 모르는 사이에 음식 맛이 없다는 태도를 보이지는 않습니까?

— 음식을 먹고 나서 무심코 손으로 입을 닦거나 접시에 휴지나 이쑤시개를 버리지는 않습니까?

— 이런 행동은 당신의 오랜 습관인 경우가 있으므로 두번 다시 실수하지 않도록 주의하십시오.

— 사회에 발을 들여 놓았으니 이제부터는 어떤 좌석에 참석하더라도 기분좋게 식사할 수 있는 기본 예절만은 빨리 익혀놓도록 합시다.

— 그러나 그만 깜박 하는 사이 이러한 매너를 지키지 않았는지 항상 스스로 잘 챙겨봐 주십시오.

제6장 대화 예절

47 올바른 대화법

— 대화란 사람 사이의 커뮤니케이션의 주요 기둥이며, 자기의 의사를 가장 명확하게 상대에게 전달하여 주는 것이고, 또한 보다 좋은 인간관계를 유지할 수 있게 하는 것입니다.

— 우리들은 매일 여러 가지의 목적으로 여러 종류의 사람과 이야기를 하고 있습니다. 인사, 회담, 보고, 설명 등등……. 물론 잡담도 그 속에 들어가는 것입니다.

— 독백이라면 몰라도, 말하는 것은 반드시 상대가 있습니다. 그리고, 말의 의도가 정확하게 전달되어야만 대화를 잘하는 것입니다.

— 말을 잘하기 위해서는 당연히 목적과 상대, 장소를 정확히 파악하고 있지 않아서는 안 됩니다. 그것은 타이밍이 약간 어긋나더라도 늘 문제가 생기는 것입니다.

— 자기의 의사를 정확하게 전달할 수 있다면, 복잡하게 얽힌 인간관계도 간단히 풀 수 있으며, 일도 잘해 나갈 수 있을 것입니다.

— 당신이 이야기할 때에는 언제나, 어느 장소에서나, 어떤 주제에 대해서 어떤 상대와도 이야기할 수 있는 성실한 자세를 가지고 있어야 합니다.

— 나는 말하기 싫다는 생각을 하거나 또는 다른 생각을 하면서 말하는 것은 처음부터 실격입니다. 또한 당신의 말씨가 제멋대로이면 상대방이 열심히 들으려고 해도 잘 이해되지 않을 것입니다.

— 게다가 만약 당신이 설명하는 방법이 서툴러서 그 뜻이 애매모호해진다면 매우 잘 작성된 보고서라 할지라도 다시 작성해 오라고 되돌려질 것입니다.

— 말을 잘한다는 것은 의외로 어려운 일입니다. 당신의 회사에는 모든 사원들이 기피하는 까다로운 사람, 골치거리 타입의 사람이 분명히 있을지도 모릅니다.

— 그렇다 하더라도 당신은 그 누구에게나 때와 장소에 따라서 명확하게 자신의 기분이나 생각을 전할 수 있도록 노력하여야만 하며 그럴 때 비로소 당신은 훌륭한 사회인이라고 불리게 되는 것입니다.

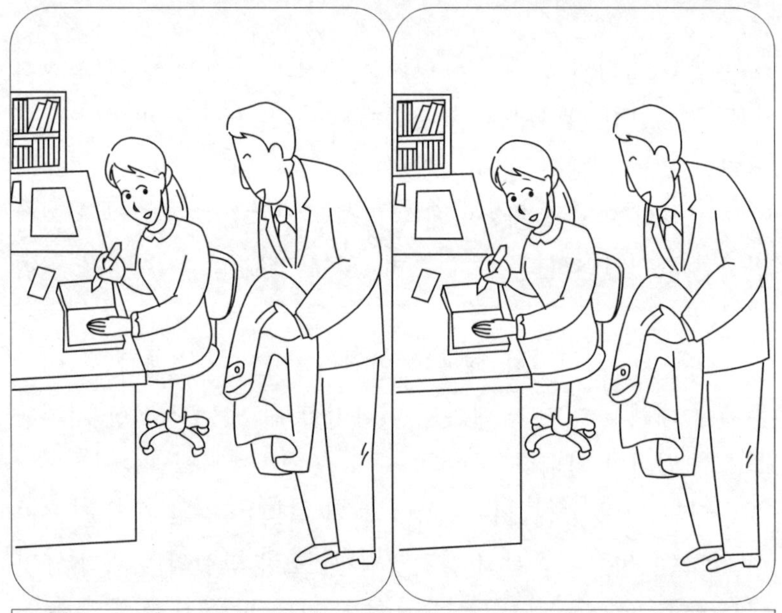

그림50. 손님에게 인사를 잘합시다. 손님의 얼굴을 보면서 확실하게 인사합시다.

48 인사하는 법

— 매일 하는 인사를 소중하게 여깁시다.

— 짧은 말속에 따뜻한 마음을 담아 보내면 상대방은 확실히 크게 감동을 받을 것입니다

— '인사는 매일 하는 것이므로 시늉만 하면 되지 않을까?'

— 하지만 인간 관계란 마음을 담아서 인사함으로써 시작되는 것입니다. 그것은 매일 만나는 사람이나 지금 처음 만나는 사람 모두에게 마찬가지입니다.

— 그저 말로만 건성으로 인사를 하면 상대방은 '아, 저 사람이 내게 관심이 없구나.' 라고 생각하게 됩니다.

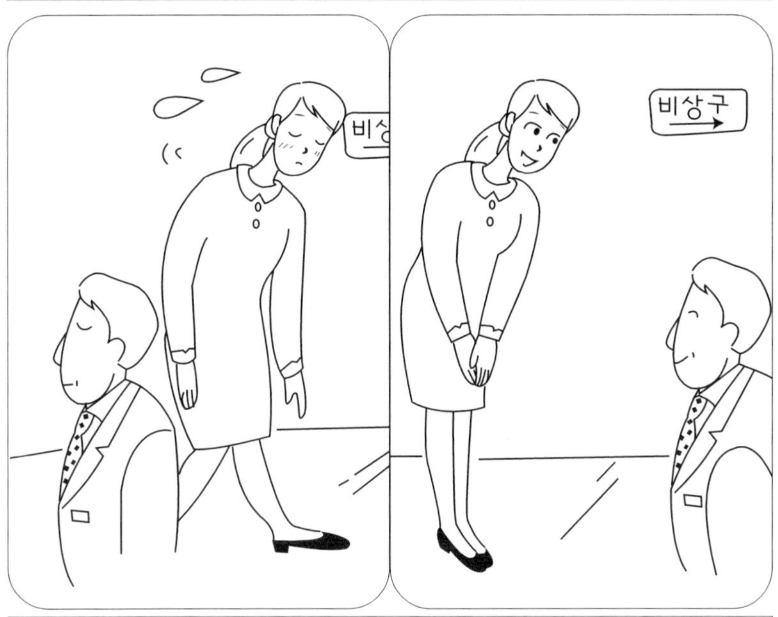

그림51. 타 부서의 상사들에게도 부끄러워 하지 말고 밝게 웃으며 인사합시다.

— 처음 만나 서먹서먹한 표정으로 얼굴을 쳐다보지도 않고 무뚝뚝한 말 한마디로 인사를 한다면 상대방은 자기가 무시당했다고 생각하게 됩니다.

— 인사는 반드시 상대의 얼굴을 쳐다보며 미소를 지으면서 하도록 하십시오.

— 인사를 하지 않는 것은 상대를 무시하는 것입니다. 그러나 그런 대접을 당했다고 해서 되돌려 주려고 해서는 안 됩니다.

— 상대의 존재를 알아차린 쪽, 특히, 젊은 당신이 스스로 적극적으로 인사를 하도록 합시다.

— 상대를 앞질러 가서 입으로만 웅얼거린다면 인사도 제대로 못하는 사람이라고 낙인찍혀 버립니다.

그림52. 외출에서 돌아온 동료에게 "다녀오셨습니까." 하고 인사합니다.

— 이 "인사도 제대로 못하는"이라는 말이 나타내는 바와같이 인사를 확실하게 하는지 어떤지 그런 것은 예의가 바른지 어떤지를 재는 척도이기도 합니다.

— 부끄러워서 작은 목소리로 인사를 하는 것은 사회성이 발달하지 못한 것으로 비쳐집니다. 이래서는 실제로 일을 잘할 수 있다하더라도 남들에게는 일을 맡기기에 부적합하다고 인식될 수 있습니다.

— 문제가 있거나 또는 모르는 것이 있을 때 적절한 대책을 세워서 문제를 해결할 것이라는 믿음이 없어지게 됩니다.

— 원래부터 인사를 잘하지 못하는 사람은 일 역시 잘하지 못할 것이라고 생각하게 되는 것입니다.

그림53. 외출에서 돌아왔을 때는 "다녀왔습니다."하고 인사합시다.

— 외출에서 돌아와 피곤하고 지쳐 있는 사람에게 "다녀오셨습니까, 수고하셨습니다."라고 진심에서 우러나오는 마음으로 인사를 한다면 상대는 "아, 좀더 분발해야지."하는 마음이 생길 것입니다.

— 상대가 기분이 좋아져서 잘 대답해 주면 당신도 기분이 나쁘지 않을 것입니다.

— 밝은 인사를 주고 받는다면, 직장에서는 활기가 솟아날 것입니다. 즐거운 직장, 따뜻한 정이 흐르는 직장은 한사람 한사람의 마음가짐으로부터 조성되는 것입니다.

— 그러기 위해서 우선 당신부터 정성이 담긴 인사를 건네는 것을 잊지 않도록 하십시오.

그림54. 상사에게서 부름을 받는 즉시 상냥한 목소리로 대답을 하십시오. 그 다음 자리에서 일어나서 부르는 상사에게 다가가는 것이 원칙입니다.

49 밝은 목소리로 대답하자

— 부르는 소리를 듣고 대답을 하는 것은 당연한 일. 하지만 당신이 대답을 하더라도 목소리나 자세가 나쁘면, 상대는 당신이 자신을 무시하는 것이라고 생각할지도 모릅니다.

— 또한 "예, 예."등과 같이 반복해서 대답을 하게 되면 상대방을 놀리는 것 같은 느낌이 들어서 아무런 부탁을 하고 싶지 않게 됩니다.

— 대답을 하더라도 소리가 작아서 상대에게 제대로 들리지 않을 정도로 하면 대답을 하지 않은 것과 같습니다. 그러므로 대답은 밝은 목소리로 확실하게 하도록 합시다.

그림55. 바쁘게 손을 움직이고 있을 때는 일단 대답을 한 후에 상대방을 쳐다보면서 지금 바로 자리에서 일어나지 못함을 알리도록 합시다.

— 아무리 바쁘더라도 대답은 즉시 해야 합니다. 대답을 하지 않는 것은 상대의 부름을 거절한다는 뜻이 됩니다.

— 하던 일에서 손을 뗄 수 없는 경우에는 간단하게 대답을 한 뒤에, 그러한 당신의 상황을 상대에게 정확히 전달하도록 합시다.

— 물론 일을 마무리 지은 다음에는 될 수 있는 한 빨리, 자신을 부른 상대에게 달려갑니다.

— 잡담을 하고 있는데 자신을 찾는 소리를 듣게 될 때 기분 나쁘다는 듯한 표정으로 대답을 하는 것은 최악입니다.

— 어떤 경우에 부름을 받더라도 밝고 생기발랄하게 즉시 기대에 맞게 대답을 할수 있도록 항상 주의합시다.

제7장 능숙한 대화법

— 자기의 말을 상대에게 정확하게 전하지 못했다거나 또는 그러한 뜻으로 말을 하지 않았는데 상대가 그런 식으로 생각하여 오해를 산 경험이 없습니까.

— 정확하게 말했다고 상대가 모두 이해하지 않습니다. 반대로 잘못 듣거나 오해하는 경우도 있는지 생각해 보십시오.

— 자세한 설명을 생략하여 버리면 그 뜻이 제대로 전해지지 않습니다.

— 반대로, 상대가 알고 있는데도 당신이 처음부터 설명하면 일일이 설명을 하여 너무 답답하다는 꾸중을 듣게 됩니다.

— 또한, 단어 사용의 부적절, 건방진 말투, 끼어들기, 큰 목소리 또는 발음이 불분명한 것도 나쁜 인상을 주게 됩니다.

그림56. 이야기란 상대에게 자기의 의사를 전하는 것. 미리 내용을 정리합시다.

50 말할 내용을 미리 정리한다

— 자기가 말하고 싶은 것을 생각이 떠오르는 대로 말하는 것은 유치원생이라도 할 수 있는 것입니다.

— 그러나 어엿한 사회인인 당신은 어떻게 이야기하면 상대에게 가장 잘 의사전달을 할 수 있을까를 먼저 생각해 보고 차분하게 이야기하지 않으면 안 됩니다.

— 대화를 하는 경우에는 일반적으로 차근차근 순서대로 이야기 하는 것이 보통이지만 업무를 보고하는 경우에는 상대방이 알고 싶은 것이 원인인지, 결과인지 아니면 그 과정인가를 잘 생각해서 보고해야 됩니다.

그림57. 말을 걸 때는 타이밍이 중요합니다. 상대방이 어떤 상황인지 고려합시다.

— 그리고 상대가 원하는 것을 요점을 정리하여 이야기한 후 하나하나 자세한 설명을 덧붙입니다.

— 말을 할 때에는 목소리와 발음, 액센트, 끊어서 말하는 것 등도 자신의 의사를 정확하게 전달하는 매우 중요한 요소이므로 평소에 연습을 하십시오.

— 말투에 억양이 없이 처음부터 끝까지 무미건조하게 말해버린다면 당신이 무엇을 이야기하려고 하는 것인지 상대방이 이해하려면 한참동안 생각한 후에라야 가능할 것입니다.

— 억양과 어감이라는 것은 말을 할 때 어디가 중요한 것인지를 상대방에게 알리는 보조 수단이라는 것을 꼭 기억하여 주십시오.

그림58. 두 사람이 소근소근 속삭이는 것은 주위 사람을 불쾌하게 합니다.

51 때와 장소를 가려서 말한다

— 같은 상대에게도 때와 장소에 따라서 말투를 바꿉니다. 간단한 의사전달을 하는 경우에는 격식을 차린 어조로 이야기해야 합니다.

— 이야기는 타이밍도 대단히 중요합니다. 일에 열중해 있는 사람에게 별로 급하지 않은 것을 물으면 빈축을 사게 됩니다.

— 친한 친구라도 업무중에 허물없는 말투로, 또는 귀에 대고 소근소근 이야기하는 것도 좋지 않습니다.

— 그것을 보는 사람은 자기 흉을 보고 있다고 오해하게 됩니다. 지금 직장에 있다는 사실을 결코 잊지 마십시오.

52 바른말을 사용한다

— 바른 말을 쓰면 상대에게 좋은 인상을 주게 됩니다.
— 바른 말은 상식적으로 반드시 익혀두어야 합니다.
— 선배나 상사, 또는 손님을 대할 때, 어떤 어휘를 사용하여 대화를 하면 좋을가에 대해서 하나하나 기억하여 두십시오.

● 회사 내의 호칭

일반적으로 상대방의 직책을 부릅니다. "사장님" "OO부장님" "OO과장님" 등.
직책이 없는 경우- "~과 OO씨"

● 존댓말

존댓말은 상대에게 경의를 표하기 위한 예의있고 정중한 말입니다. 존댓말을 할 때는 어미에 "입니다." "있습니다." "합니다." 하고 말합니다.

● 회사에서

상사나 손님과 이야기하는 경우에는 친구에게 하는 것과 어휘가 서로 틀립니다. 사무실에서 적절하게 사용할 수 있는 간단한 용어를 소개합니다.

· "감사합니다."
· "부탁합니다."
· "네, 분부대로 하겠습니다."

그림59. 자기 자랑을 하는 것이 상대에게 즐거움을 준다고 착각하지 마십시오.

53 직장에서 삼가야 할 말

— 직장 안에서는 사용을 자제해야 할 말이 있습니다.

— 학생일 때에는 말을 재미있게 하거나 재치있게 하기 위해서 떠도는 유행어나 자기 특유의 말버릇을 사용하기도 하지만 회사 내에서도 그런 말버릇을 그대로 사용한다면 상대방의 기분을 상하게 하거나 빈축을 사게 되는 경우가 있습니다.

— 회사생활에서는 구분하지 않으면 안 되는 명백한 상하관계가 있으며, 특히, 일올 목적으로하여 만났기 때문에 예의바르며, 바르고 알기 쉬운 말을 사용하지 않아서는 안 됩니다.

— 직장 내에서 사용하지 말아야 할 말을 소개합니다.

● 유행어, 학생용어

텔레비전의 CF나 유명인의 명언(?)에서 생기는 새로운 유행어, 학생때 사용하던 용어를 그대로 사용하는 것은 당신이 아직도 회사인으로서 적응하지 못하고 있다는 명백한 증거가 됩니다. 깔끔하고 분명하게 하도록 합시다.

● 입버릇이 된 말들

요컨대, 역시, 대단히, 그러한, 그래서, 그러므로, 그리고, 그다음에, 그런데, 말하자면, 에 - , 저 -, 자 -, 우선, 에또, -도, -인데도, 등등, 자신도 모르는 사이에 자주 사용하는 말이 있습니다. 이러한 거추장스러운 말들은 쓰지 않도록 합시다.

● 외래어, 전문용어, 업계용어,

외래어는 일반화되어 있는 것 외에는 쓸 필요가 없습니다. 친숙하지 않은 외래어는 그 의사전달이 불분명하게 됩니다.

전문용어, 업계용어는 손님과 이야기할 때에는 특별히 신경을 써서 사용하지 말아야 합니다. 말이란 상대에게 쉽게 전달하는 것이 원칙입니다. 상대가 모르는 말은 사용하지 맙시다.

● 미사여구와 형용사

이야기를 강조하고 싶어서 많은 형용사를 늘어놓는 것은 무척 이상하게 들립니다. 본인은 쉽고 구체적으로 말을 하더라도 상대방에게는 이미지가 분산되므로 이야기를 너무 장황하게 늘어놓지 맙시다.

● 불유쾌한 화제들

자기 자랑, 비난, 소문, 지어낸 이야기, 불행한 이야기 등, 개인의 사생활 이야기는 절대로 이야기 하면 안 됩니다. 이야기하고 있는 당신이 오히려 시시한 사람이 될 뿐만 아니라 인격을 의심받게 됩니다.

● 개인신조에 관계되는 화제

직장은 함께 일을 하는 사람들이 모이는 장소입니다. 너무 한쪽으로 치우쳐서 종교, 정치에 관한 자신의 생각을 상대에게 강요하는 것 같은 화제는 피해야 합니다.

● 아는 척하거나 남의 말을 그대로 받아옮기기

자기도 잘 모르는 화제를 남에게서 듣고서 마치 그것을 자신이 잘 알고 있는 것처럼 그대로 이야기한다면 그것은 얼마 안가서 곧 들통이 나게 마련입니다. 그러면 자신이 오히려 지조가 없는 사람처럼 보입니다.

● 빤한 인사치레나 빈말

인사치레나 빈말은 때로 인간관계에 윤활유가 되지만 그것이 도를 넘으면 바보같은 인상을 줍니다. 젊은 당신이 그런 말을 쓰는 것은 바람직하지 않습니다. 그것은 사물을 제대로 볼 줄 아는 사람에게는 통용되지 않는 말이라는 것을 기억하여 주십시오.

제8장 인간관계

54 직장에서의 인간 관계

— 우리들 모두는 매일 많은 사람들과 번갈아 만나면서 생활하고 있습니다. 여러 부류의 사람들과 어울려 살아가고 있는 중에서 생활도 풍부해지고, 또 하루하루를 즐겁게 지낼 수 있게 되는 것입니다.

— 회사 업무는 많은 사람들이 맡은 일을 함으로서 스무스하게 일이 연결되고 또 그 성과도 제대로 나타나는 것입니다.

— 직장에서 함께 일을 하기 위해서는 팀웍이 절대로 필요합니다. 그러기 위해서는 무엇보다도 직장 내에서 좋은 인간관계를 유지하는 것이 최고입니다.

그림60. 회사는 원활한 인간관계를 만드는 곳, 인사가 그 첫걸음입니다.

55 따뜻한 마음으로 이해하자

— 당신이 많은 사람들과 보다 좋은 인간관계를 맺기를 희망하며, 즐거운 직장생활을 하기를 원한다면 그만큼의 노력이 필요합니다.

— 저 사람은 싫어하고, 이 사람은 너무 어리고…… 당신이 그러한 기분으로 상대방을 대하고 있으면, 상대방 역시 당신을 좋게 대해줄 리가 없습니다.

— 인간관계를 키우는 제일 첫걸음은 우선, 상대에게 따뜻한 관심을 가지고 웃는 낯으로 대해 주는 것입니다. 마음을 열어서 따뜻하게 대해 줍시다.

— 상대방은 점점 당신에게 다가올 것입니다. 상대방을 감싸주고 상대방을 이해하려고 노력한다면 동료 사이에는 자연히 마음이 서로 통하게 되는 것입니다.

— 많은 사람들중에는 여러 타입의 사람이 있습니다.

— 회사에는 당신이 골치거리로 생각하는 사람도 있습니다. 그러나 누구에게나 결점은 있는 것입니다. 물론 그런 결점은 당신에게도 있을 것입니다. 그런 것을 일일이 열거하고 있을 수 없을 뿐입니다.

— 서로 상대의 결점만 보고 있다면 인간관계는 점점 더 복잡해져 버립니다. 남의 결점을 눈여겨 보는 것은 좋지 않은 일입니다. 또한 그것에 사로잡혀 있다면 당신은 자기 자신부터 인간관계를 잘하려는 노력을 게을리하는 것이 됩니다.

— 다시 한 번 따뜻한 마음을 가지고 상대방의 좋은 점을 찾아보도록 하십시오. 상대에게는 아직까지 당신이 모르고 있던 우수한 점이 하나 정도는 있을 것입니다.

— 그리고 좋은 점을 발견하면 그것을 과장하지 말고, 그저 있는 그대로 보고 받아들이십시오. 사람에게는 누구나 자신의 존재를 주위의 사람이 인정해 주기를 바라는 간절한 마음이 있는 것입니다.

— 시시한 인사치레가 아니라 당신의 진심에서 우러나오는 말을 전한다면 그 마음은 그대로 전달되어 당신에게 친근감을 느끼게 될 것입니다.

— 그리고 그처럼 배려해 주는 당신이야 말로 그의 진정한 친구가 될 수 있는 것입니다.

그림61. 회사에서 서로 협력하는 사이에 인간관계는 무르익습니다.

56 상호 보완적 인간관계

— 좋은 인간관계라는 것은 상대방에게 꼭 말하고 싶은 것을 참는 것에서 오는 것이 아닙니다.

— 상대의 나쁜 점을 보고도 눈감아 버린다면 진심으로 허물이 없는 관계라고 할 수 없습니다. 좋은 인간 관계란 서로 잘못된 점을 알려서 고치고 서로 맞추어 가는 것입니다.

— 듣기 거북한 당신의 단점이나 버릇을 솔직하게 지적하여 주는 사람에게 당신은 고맙게 생각하지 않으면 안 됩니다.

— 진심어린 충고를 받아들이지 못하고 오해를 한다면 그것은 오히려 서로의 관계가 부자연스럽게 되는 것입니다.

— 당신이 호의로 말한 것을 상대방이 오해를 하고 나쁘게 받아들일 수도 있는 것입니다. 그렇기 때문에 회사에서는 아무도 그런 싫은 역할을 하고 싶어하지 않습니다.

— 그러나 그러한 일을 해주는 사람이야말로 진심으로 그 사람을 걱정해 주고 도와주려는 생각에서 그런 말을 해주는 것입니다.

— 그렇기 때문에 충고란 것은 그것을 말하는 측이나 그것을 받아들이는 측이나 대단히 어려운 일입니다.

— 충고를 해야할 때는 단순한 소문을 액면 그대로 믿고 그것을 전한다면 그것은 올바른 충고가 아닙니다.

— 그것이 사실인지 아닌지를 확실하게 확인하여 상대방의 기분을 고려하여 진심으로 성실하게 이야기하는 것이 중요합니다. 충고를 하는 때나 장소, 시기도 충분히 고려하지 않으면 안 됩니다.

— 또한 충고를 받는 사람은 결코 즉시 변명을 하거나 책임을 전가하려고 하지 말고, 충고를 해주는 사람에게 감사하는 마음으로 조용히 들여야야 하며, 오해가 있을 때는 화를 내지 말고 전후사정을 차근차근 설명해야 합니다.

— 회사에서는 상사나 선배, 동료사이에 업무에 관련되거나 개인적인 문제에 대한 충고를 하거나 받으면서 서로 성장하여 갈 수 있는 것입니다. 그렇게 함으로서 직장 내에 바람직한 인간관계가 이루어지는 것입니다.

그림62. 상사가 외출할 때는 행선지와 돌아오는 시간을 물어서 확인합시다.

57 상사와의 관계

— 상사는 회사에서 직책상 당신보다 윗사람을 말합니다.

— 상사는 회사 업무의 상당한 부분에 대하여 무거운 책임을 지고 있으며, 경험도 풍부하여 업무에 있어서도 능숙합니다.

— 인생에 있어서도 상사는 당신의 대 선배입니다. 그는 일반 사원보다 10년 정도 많은 인생을 살아온 만큼 사회에서나 직장에서나 갖은 풍상을 겪은 베테랑입니다.

— 따라서 일반 사원들은 직장 상사를 존경하고, 예의가 바르게 대함으로써 그가 쉽고 편하게 일을 할 수 있도록 보조해야 합니다.

— 그런 만큼 상사와의 관계는 너무 가까워도 또 너무 멀어서도 안 되는 매우 신경을 써야 할 관계입니다.

— 당신은 먼저 상사에게 자신을 인정받도록 노력을 하여야 합니다. 그렇게 하려면 위에서 설명한 아주 사소할지 모르지만 그러나 매우 중요한 내용들을 숙지하고 실천해야 합니다.

— 상사는 당신에게 일을 주는 사람입니다.

— 그들은 업무에 대해 친절하게 가르쳐 줄 여유가 없습니다.

당신은 주위의 선배들에게 묻거나 충고를 받으면서 자기 판단에 따라서 행동해야 합니다. 일을 하다가 직접 물을 필요가 있을 때는

'이것은 어떻게 하는 것입니까?' 하고 묻는 것보다

'이렇게 하는 것입니까.'

'이렇게 해도 되는 것인가요?'

라고 묻는 방법을 잘 생각하지 않으면 안 됩니다.

— 그리고 될 수 있으면 빠른 시일 내에 능숙한 전문가가 되십시오.

— 당신은 매일 상사의 스케줄이나 어디로 갔는지 그 장소를 미리 파악해 놓아야 합니다. 갑자기 손님이 방문하여 상사를 찾거나 급한 전화가 왔을 때 상사를 찾느라고 법석을 떨거나 외출에서 돌아올 시간을 모른다면 정말 곤란한 일이니까요.

— 이런 상황에서는 "말해 주지 않은 쪽이 나쁜 것"이 아니고, 당신이 미리 주의를 하여 상사가 외출을 하게 되면 어디를 가는지, 돌아오는 시간은 언제쯤인지, 그리고 연락은 어디로 하면 되는지 등을 확인해 놓아야 합니다.

그림63. 꾸중을 들었을 때는 솔직하게 잘못을 인정하고 용서를 청합니다.

58 상사로부터 꾸중을 들었을 때

— 만약 당신이 상사로부터 꾸중을 듣는다면 당신은 그 자리에서 변명을 늘어놓거나 다른 사람의 탓이라고 말하면 안 됩니다. 또 안색이 확 변하거나 입을 삐죽거리며 뾰로통해지거나 자리로 돌아가서 의자에 소리가 나게 앉으면 그것은 매우 잘못된 행동입니다.

— 당신은 반성하는 태도로 다소곳이 귀를 기울여 어디가 잘못되었는지를 잘 생각해 봅시다. 그리고 "다시는 이런 일이 없도록 하겠습니다."라고 잘못을 인정하고 용서를 청하십시오.

— 그러면 상사는 당신을 더욱 신뢰할 것입니다.

그림64. 칭찬을 받을 때는 기쁜 표정으로 정말 감사하다고 말합니다.

59 상사로부터 칭찬을 받았을 때

— 당신이 탁월한 일솜씨를 보여 상사로부터 칭찬을 받는 다는 것은 당연한 것입니다. 이로 말미암아 당신은 회사의 생활에 더욱 재미를 느끼게 될 것입니다.

— 칭찬을 받았을 때는 일부러 표정을 숨기려 하지 말고, 기쁜 표정을 그대로 나타내면서 "감사합니다."하고 감사의 예를 표시하도록 하십시오.

— 한가지 일로 칭찬을 받았다고 해서 겸손한 마음 가짐을 잊어서는 안 됩니다.이제부터 더욱 잘하려고 노력하지 않으면 안 됩니다.

그림65. 선배에게 지나치게 허물 없이 행동하는 것은 좋지 않습니다.

60 선배와의 관계

— 회사의 실무를 익히는 데 있어 당신이 가장 많은 신세를 져야할 사람은 바로 직장 선배입니다.

— 특히 당신과 머리를 맞대고 일을 하게 되는 같은 부서의 선배는 당신이 업무를 익히는 데 가장 큰 역할을 하게 되는 사람입니다.

— 직장 선배는 당신이 모르는 것을 가르쳐 주고, 귀찮은 일을 돌봐 주기도 하여 새내기들에게는 가장 중요하고 친근한 상대입니다. 당신은 선배에게서 빠른 시간 안에 많은 것들을 배워야 합니다.

— 그러나 어디까지나 선배는 선배입니다. 선배에게는 깍듯이 예의를 지키야 당신에게 도움이 됩니다.

— 그러나 친한 것과 허물없는 것은 엄연히 다릅니다. 많은 사람들 속에서 허물이 없다고 말을 함부로 하거나 어깨를 탁 치는 등의 행동은 선배들의 기분을 나쁘게 할 수도 있습니다.

— 남성 선배의 경우에는 당신에게 이성으로 다가올 때도 있습니다. 그렇기 때문에 남성 선배는 새내기들에게는 신경이 쓰이지 않을 수가 없습니다.

— 그러나 그런 관계속에서 당신이 훌륭하게 처신을 한다면 오히려 당신은 남자들의 새로운 세계를 발견할 수 있는 좋은 경험을 하게 될 것입니다.

— 선배에게 업무에 대해서 물어볼 때는 타이밍을 잘 맞추어야 합니다. 선배들도 바쁠 때가 있으므로 미리 그 문제에 대해 골똘히 생각해 보고 "가르쳐 주시겠습니까?" 라는 겸손한 태도로 자문을 구하는 것이 좋습니니다.

— 선배는 당신보다 훨씬 전에 입사하여 당신이 가야할 길을 앞서 걸어온 사람입니다. 그들에게서 업무에 대해서 듣고 배울 뿐만 아니라 일상의 자세나 행동에서도 여러 가지 좋은 점을 배우고 사회인으로서의 규범도 익히도록 하십시오.

— 당신도 얼마 후에는 새로운 신입사원들로부터 선배라고 불리게 됩니다. 그 날을 위해서 선배가 일하는 방법, 후배를 가르치는 방법 등을 배워 두십시오.

— 그래서 선배와 같은 입장에 되었을 때 정확하고 똑똑하게 후배를 지도하여 갈 수 있도록 미리 대비하도록 하십시오.

그림66. 동료는 허물 없는 친구이자 좋은 의미의 라이벌 이라는 의식을 가집시다.

61 동료와의 관계

— 직장 동료는 친구일까요? 아니면 경쟁하는 라이벌일까요?

① 같은 신입 사원은 사이좋은 친구. 회사 생활에서의 어려움과 고민을 허물없이 서로 이야기할 수 있습니다.

② 화기애애한 분위기에서 일을 하면 능률이 올라갑니다.

③ 동료의 좋은 점을 배우고 따라하면서 좋은 의미에서 라이벌 의식을 갖도록 하십시오.

④ 작은 것 하나에도 세심한 배려를 하면 관계가 좋아집니다.

⑤ 친한 동료일지라도 일을 하는 도중에 간섭을 하거나 또는 업무도중에 잡담을 거는 등 불필요한 행동은 삼가야 합니다.

⑥ 사소한 일은 도와달라고 하지 맙시다. 그러나 정말 어려운 일은 동료와 서로 협력하여 원만하게 처리하도록 합시다.

⑦ 동료와의 사이가 불편해지면 팀웍이 흐트러져 업무에 지장을 초래합니다. 자기의 주장을 때로는 굽힐 줄 알아야 합니다.

⑧ 동료 사이에는 될 수 있는 한 금전거래를 하지 마십시오.

⑨ 그러나 깜빡 잊고 출근한 동료가 점심값이나 교통비 등 잔돈을 빌려달라고 할 경우 흔쾌하게 빌려 주십시오.

⑩ 빌린 것을 잊어 버리고 갚지 않으면 상대는 불쾌하게 생각합니다. 돈을 빌렸으면 될 수록 빨리 깨끗하게 갚으십시오.

⑪ 학생시절에는 말다툼이나 싸움을 통해서 서로 이해하며 우정을 돈독히 하지만 직장 동료와의 관계는 하나의 비즈니스입니다. 상호 예의를 지켜야 한다는 것을 잊어서는 안 됩니다.

62 직장 내에서의 이성관계

— 직장에서 이상에 맞는 남성을 만날 수도 있지 않을까요?

① 직장에서는 일하는 도중 많은 이성 동료들과 사귀게 됩니다. 당신은 그들과 자연스럽게 섞여서 일을 하는데 적응하여야 합니다.

② 특별히 당신에게 해가 되지 않는 한 남성을 혐오하거나 두려워할 필요는 없습니다.

— 기분이 좋은 이성과 함께 일을 하게 되면 곧 좋은 기분이 자신에게도 그대로 전해져서 일에 능률이 올라갑니다.

그림67. 근무도중 남자사원과 은밀하게 잡담을 하는 것은 보기에 나쁩니다.

— 하지만 사무실에서 필요 이상으로 둘이서만 친숙하게 이야기를 하지 맙시다.

— 근무중에 자신도 모르게 그에게 애교를 부리는 일이 없는지 주의합시다.

— 자신의 업무를 친한 남성에게 너무 의지하는 것은 절대 금물입니다.

— 개인적으로 동창이나 가까운 관계라 해도 직장안에서는 그런 관계로 대하지 맙시다.

— 그렇다고 가까운 사람에게 일부러 서먹서먹하게 행동할 필요는 절대로 없습니다. 다른 남자들과 꼭같이 평범하게 대하도록 합시다.

그림68. 남자에게 의존하지 맙시다. 남성의 입장에서 생각하는 법을 배웁시다.

— 퇴근 후 술좌석을 함께 할 때도 상대가 한번 사면 가끔 답례를 하여 남성에게만 금전적인 의존을 하지 않도록 합시다.

— 남성이라고 급료를 많이 받는 것은 아닙니다. 상대에게 금전적 부담을 주지 않도록 주의하는 것도 여성의 매력입니다.

— 회식에서 술을 마시더라도 만취하여서는 안 됩니다.

— 훌륭한 여성으로서 대우받고 싶으면 퇴근 후에도 행동이 더욱 깔끔해야 합니다.

— 술자리에서 즐겁고 화기애애하게 지내려고 분위기를 맞추다 보면 자칫 잘못하면 정숙하지 못하다는 인상을 주게 됩니다.

— 남성의 입장에서 남성들의 생각하는 법과 사고방식을 배워서 당신의 시야를 넓혀가도록 합시다.

제9장 직장 내 소문

63 가벼운 잡담이 뜬소문이 된다

— 여자가 모이면 쓸데없는 잡담을 하는 게 당연하죠?

— 어제 있었던 일, 입고 있는 옷, 새 구두를 샀는데 그 색이 어떻다는 등……, 또 최근 누구의 머리모양과 색깔이 너무 짙다는 등으로부터 여러 가지 억측을 만들어 내게 되는 것입니다.

— 사실이 아닌 일도 두 번 이상 들으면 혹시나하는 의혹을 품게 됩니다. 아무렇지도 않게 한 말이라도 그 당사자는 상처를 입습니다.

— 가벼운 기분으로 말한 것도 입에서 입으로 전해지는 사이 자꾸 커지는 것입니다.

그림69. 작은 이야기가 한 사람씩 거쳐갈 때 마다 크게 과장되어 소문을 낳습니다.

— 처음에는 단지 추측이라고 말했던 것도 여러 사람의 입을 여러 번 거치다 보면 뜻하지 않는 말로 변하거나 기정사실처럼 되어 버립니다.

— 소문을 듣고, 가만히 생각해 보면 그 이야기를 처음 발설한 사람이 바로 자기였다는 우스운 이야기도 있습니다.

— 소문이 자꾸자꾸 커지는 것은 그 말을 들은 사람들이 형용사를 덧붙이기 때문입니다. 그 내용도 변질되고 출처도 불분명하게 됩니다. 작은 이야기라도 다음 사람이 흥미를 덧붙여 각색하기에 따라서 소문은 크게 퍼질 수 있는 것입니다.

—소문의 당사자는 별일이 아니거나 이미 모두 해결되었다 해도 많은 심적 고통에 시달리게 됩니다.

64 뜬소문은 불행의 씨앗

— 소문을 퍼트리는 행위는 사실 여부를 떠나서 무고한 사람에게 큰 상처를 주는 아주 나쁜 행동입니다. 그것은 잘못하면 전혀 다른 이야기로 비약을 거듭하고 금방 사라지지도 않는 나쁜 것입니다.

— 소문은 어떤 사람에게 관심을 가지거나 또는 호기심으로 그에 대해 알고자 하는 유혹에서 비롯됩니다. 그런 유혹을 떨쳐버리지 않는 한, 소문은 없어지지 않을 것입니다.

— 이미 회사 내에 어떤 소문이 퍼졌을 때에는 아무도 그것을 막을 수가 없습니다. 때문에 가장 좋은 소문 방지법은 남의 말을 좋게 하는 것입니다. 그리고 자신도 그런 경우에 처하지 않도록 스스로 말과 행동에 조심하여야 합니다.

— 당신도 모르는 사이에 악의적인 소문이 퍼졌다면 당신은 그렇지 않다는 것을 보여줄 필요가 있으므로 전혀 반대로 행동하거나 사람들이 자신의 결백을 믿도록 행동하는 수밖에 없습니다.

— 당신이 그 소문에 대해 과민 반응을 보인다든지 자제력을 잃고 크게 격분을 하면 사람들은 더욱 더 그 소문이 사실일 것이라고 믿어 버리는 경향이 있습니다.

— 반대로 자신의 어떤 점이 그러한 오해를 불러 일으켰는지를 잘 생각해 보고, 아무리 생각해도 결백하다고 판단되면 그대로 모른 체 내버려 두고 태연하게 업무에 열중합시다. 그러면 소문은 곧 잠잠해 질 것입니다.

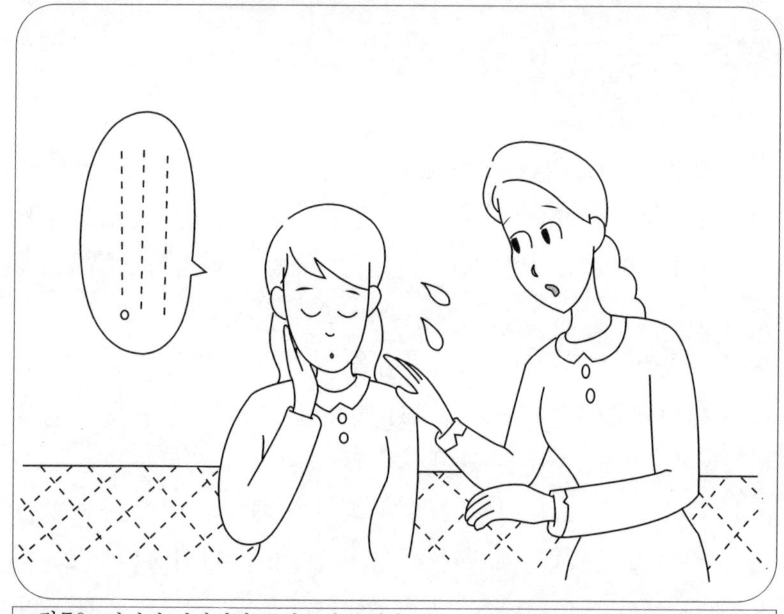

그림70. 자기의 이야기가 구설수에 올랐을 때는 친구의 충고를 듣도록 합시다.

65 뜬소문을 믿지 마라

— 사람들 입에 오르내리지 않도록 행동을 조심합시다.

— 당신의 말 한 마디가 소문이 되어 퍼져 나간다면, 그 소문의 당사자가 상처를 입으므로 즉시 중지해야 합니다.

— 나쁜 소문을 듣고 소문만으로 사람을 판단하지 마십시오.

— 당사자가 친한 사이라면 그에게 상의하십시오. 소문의 진위와 또 원인에 대해 의견을 나누고 행동요령 등을 충고를 해 주십시오.

— 소문을 만들거나 소문을 믿는 사람은 경박한 사람이거나 생각이 없는 사람으로 인식되어 좋은 평가를 받지 못합니다.

제10장 근무할 때의 요령

66 업무를 빨리 파악하라

— 먼저 회사의 업무에 관심을 가질 필요가 있습니다. 자기가 하는 일의 내용을 잘 알지 못하면 당신은 회사에서 발전할 수가 없을 뿐만 아니라 긍정적인 태도로 일을 하지 못합니다.

— 처음부터 상사의 지시를 받고, 무조건 상사가 시킨 일만 한다면 당신이 할 수 있는 일은 한계가 있습니다. 관심을 가지고 업무의 모두를 파악하려는 자세를 가지십시오.예를 들어 상사가 어떤 서류를 복사해 오라고 할 때,

— 당신은 왜 복사를 하는가? 어떤 내용인가?

— 왜 복사가 필요한가?

그림71. 자신에게 한번 맡겨진 일은 책임을 가지고 완수하도록 합시다.

— 이 서류는 중요한 것인가를 알아야 합니다.

— 그리고 회사의 중요한 서류는 상사에게 직접 전달하도록 해야 합니다.

— 잘못된 용지는 유출되지 않도록 곧 바로 폐기하십시오.

— 잉크의 농도나 종이의 규격 등에 신경을 써야 합니다.

— 이렇게 사소한 것까지 상사는 당신에게 말해 주지 않습니다. 그러나 아주 사소한 것이라도 자칫 잘못하면 큰 낭패를 겪게 될지도 모르므로 당신은 작은 일 하나에도 항상 주의를 기울여야 합니다.

— 일의 내용을 파악하고 있느냐 없느냐에 따라 일의 결과에는 엄청난 차이가 생기게 되는 것입니다.

그림72. 모든 일을 할 때는 "계획 수립-실행-반성"의 순서대로 진행하십시오.

67 계획 수립 — 실행 — 반성하라

— 당신은 이번에 맡은 일을 어떻게 처리할 생각입니까?

— 먼저 계획을 세우십시오. 그런 일을 하는데 아무런 계획도 없다면 일이 제대로 연결되지 않습니다. 예를 들면 이 서류가 사내용인가, 대외용인가, 손으로 쓸 것인가 컴퓨터로 할 것인가를 결정합니다. 또 몇 부를 만들 것인지 사전에 계획을 세우는 것입니다.

— 그런 다음 계획에 따라 실행합니다. 실행은 자기가 계획한 대로 하나하나 꼼꼼하게 하는 것입니다. 시간이 없다고 너무 서두르면 당신은 오점 투성이의 서류를 만들게 됩니다.

— 끝난 뒤에는 최종적으로 잘못된 곳이 없는지를 살펴보고 잘못이 있을 때 어떻게 고치면 좋을지 생각하면서 고쳐 나갑니다. 이것을 PLAN — DO — SEE라고 합니다.

— 그리고 일이 끝난 뒤에는 반드시 반성하는 습관을 가집시다. 자기 반성은 스스로를 발전시키며 능률을 높이게 되는 것입니다. 반성을 하면 실패를 되풀이하지 않습니다. 그러므로 그러한 일을 잊지 않도록 경위를 기록하여 두는 것이 좋습니다.

— 한번의 잘못은 용서할 수가 있지만 두번의 실수란 있을 수가 없는 일입니다. 왜냐하면 당신은 이미 베테랑이기 때문입니다. 계획을 세우십시오. 그리고 자꾸 기록해 나가다 보면 일의 파악도 용이하게 될 뿐만 아니라 남보다 일찍 일을 익힐 수가 있습니다.

68 스스로 방법을 생각해 보자

— 당신에게 맡겨진 일은 '나의 일이다' 고 생각하고 골똘히 생각하는 습관을 기릅시다.

— "이와 같이 하면 좋다고 생각하는데요." "이렇게 하면 어떨까요."등 자기의 생각을 확실히 말하도록 합시다.

— 맨처음 설명을 들을 때에는 주의를 기울여서 잘 듣고, 잘 납득이 가지 않는 것이 있다면 분명하게 다시 설명을 듣도록 하십시오.

— 당신이 그 일을 하기에 무리라고 판단되면, 즉시 상사에게.보고하고 다른 사람에게 일을 넘겨야 합니다.

제11장 업무지시를 받을 때

69 지시는 정확하게 받는다

— 상사가 당신에게 어떤 지시를 할 때 당신은 어떻게 그 지시를 받습니까?

— 당신이 너무 바빠서 상사의 지시를 잘못 들었거나 들은 내용이 애매모호한데도 그냥 적당히 일을 한 적은 없습니까?

— 만약 상사에게서 명령이나 지시를 받았을 때는 지시하는 사람의 의도를 정확하게 파악하는 것이 제일 중요한 것입니다.

— 상대의 이야기를 정확하게 알아들으려면 당신과 상사와의 사이에 상호 이해가 필요하게 됩니다.

— 어떻게 해야 상대의 지시를 잘 받아들일 수 있을까요.

그림73. 상사가 일을 시키려고 부를 때는 밝은 목소리로 즉시 응답합니다

70 지시받을 때의 포인트

— 상사로부터 지시를 받을 경우에는 다음과 같은 점에 주의하십시오.

— 상사가 부르면 즉시 일어서서 그쪽을 쳐다보며 밝은 목소리로 대답을 합니다.

— 그리고 냉큼 메모지와 볼펜을 챙겨서 자기를 부른 상사에게로 갑니다. 이때 의자를 책상 안으로 밀어 넣어서 통행이 불편하지 않도록 합니다.

— 약간 비켜서서 목례를 한다음 "부르셨습니까"라고 말하고 지시를 기다립니다.

그림74. 상사의 지시를 받을 때는 반드시 필기용구와 메모지를 준비 합니다

— 요점을 메모하면서 상사의 이야기를 듣습니다. 중간에 말을 끊거나 또는 먼저 말을 하지 맙시다.

— 상사의 지시에 의문나는 점이나 불분명한 점이 있으면 즉시 물어서 내용을 다시 확인합니다.

— 지시한 내용을 요약하여 상사에게 분명하게 확인시킵니다. 이때 상사와 같은 표현을 사용하여 말해야 합니다.

— 지시한 일을 할 수 없을 때는 왜 할 수 없는지 그 이유를 말하고 만약 시간이 지체될 경우 그 일을 마칠 시간을 말해 주어 적극적이고 발전적인 태도를 보여줍니다.

— 마지막에는 "예, 알았습니다." "말씀대로 하겠습니다."라고 말하여서 상대의 지시를 확실하게 받아들였음을 전합니다.

그림75. 상사의 지시는 정확하게 받아들이는 것이 제일 중요합니다. 상사의 말은 요점을 압축하여 메모를 하고, 불확실한 점은 다시 한번 확인합시다.

71 지시받은 내용을 메모한다

— 상대의 말을 아무리 정확하게 기억하려고 해도 잊어 버리는 일이 있는 법입니다. 메모하는 습관을 가집시다.

— 간단한 지시라고 생각하고 메모를 하지 않으면 나중에 생각하려면 한참 애를 써야 할 때가 있습니다. 특히 숫자나 사람의 이름 등이 잘못될 경우에는 큰일이니까요.

— 메모를 할 때는 요점을 정확하게 기록하여 상대에게 다시 확인하는 실수를 범하지 맙시다.

— 어떤 경우라도 지시를 받을 때에는 반드시 메모를 하는 습관을 몸에 익히도록 하십시오.

그림76. 지시가 끝났을 때는 의문나는 점을 다시 물어서 확인하도록 합시다

72 메모는 六何原則(5W 1H)에 따른다

— 메모를 하거나 보고할 때는 육하원칙(5W 1H)에 따라 합니다.

— 육하원칙(5W 1H)이란 "언제(When), 어디에서(Where), 누가(Who), 무엇을(What), 왜(Why), 어떻게(How)"의 여섯 개를 말합니다.

— 이 방법으로 메모를 하면 필요한 요점은 모두 그 속에 담을 수 있기 때문에 절대로 실수를 할래야 할 수가 없습니다.

— 여기에 더해서 "누구에게(Whom) 얼마나 (How much)"를 추가 한다면 당신의 메모는 완벽한 것이 될 것입니다.

그림77. 메모할 때는 언제When), 어디서(Where), 누가(Who), 무엇을(What), 왜(Why), 어떻게(How), 등 육하원칙(5W 1H)에 따라 메모합니다.

73 메모는 알아보기 쉽게 깨끗이

— 메모는 재빠르게 그리고 깨끗하게 써야 합니다. 자기가 쓴 메모일지라도 나중에 너무 휘갈겨 써놓아 스스로도 알아보지 못하는 경우가 있습니다.

— 전화를 걸어온 손님의 이름이나 회사 이름, 전화번호나 숫자 등은 특히 정확하게 쓸 필요가 있습니다.

— 당신의 상사가 어지럽게 낙서하듯이 쓴 당신의 메모 노트를 보면 당신에 대한 평가가 달라질 것입니다.

— 글씨를 쓰는 속도가 느려서는 안 됩니다. 지금부터라도 빠르고 깨끗하게 글씨를 쓸 수 있도록 연습해 둡시다.

그림78. 남에게 보여야 할 글씨를 예쁘게 쓰지 못하면 부끄럽습니다.

74 적극적인 태도로 일한다

— 당신이 "이렇게 바쁠 때 일을 시키다니!" "번거로운 일을 시키면 어떻게 해."등의 생각을 하면 그것은 곧 당신의 얼굴에 나타납니다.

— 반대로 당신이 기분 좋게 지시를 받아들이면 상사도 같은 기분으로 일을 맡기게 되는 것입니다.

— 당신을 부르는 소리를 들으면 즉시 밝은 목소리로 대답을 하고 경쾌한 동작으로 상사가 있는 곳으로 가도록 합니다.

— 지시를 받을 때는 상사의 말이 끝나는 곳에서 "예"라고 대답하면서 지시를 이해했다고 수긍하는 태도를 취합니다.

그림79. 의욕을 갖고 맡은 일을 정해진 시간에 마치도록 합시다.

75 시간 내에 끝내지 못할 때

— 지시받은 일이 시간 내에 마치기가 무리일 경우 지시받을 때 미리 상사에게 시간이 더 필요하다고 말합니다.

— 일을 하다가 부득이 늦어질 경우에는 도중에라도 빨리 상사에게 보고해야 합니다.

— 그때에는, 몇 시간 정도 늦을 것인가, 그리고 왜 늦어지는가, 그 이유를 설명하고 앞으로 어떻게 할 것인가를 말해야 합니다.

— 이때 늦게 된 원인이 어디가 어떻게 잘못되어서 그렇게 된 것인가 먼저 살펴보고 스스로 반성하도록 합시다.

제12장 상사에게 보고할 때

76 보고는 정확하게 한다

— 그 일의 진행과 동시에 하는 보고, 도중의 경위 보고 , 일이 끝났을 때 정확한 보고를 하는 것으로 그 일은 끝이 나는 것입니다.

— 보고가 없으면 일이 순조롭게 진행되고 있다고 해도 상사는 자신의 지시내용이 정확하게 진행되고 있는지 모릅니다.

— 일을 하는 도중에 생각지 못한 사태가 일어나거나 문제가 생겼을 때, 또는 나쁜 보고일수록 신속한 보고가 중요합니다.

— 일을 정확하게 진행하기 위해서 보고가 얼마나 중요한 역할을 하고 있는지 당신 스스로 명심해 두도록 하십시오.

그림80. 일의 진행상황, 완료, 새로운 정보, 좋은 의견 등은 반드시 보고를 합시다.

77 보고해야 할 내용

— 무슨 일이든 상사에게 모두 보고할 필요는 없습니다.

— 하찮은 일까지 일일이 보고하면 오히려 상사에게 꾸지람을 듣게 될지도 모릅니다.

— 다음과 같은 경우에는, 보고가 필요하게 됩니다.

① 지시받은 일이 끝났을 때

② 기한이 정해진 일의 진행 상황

③ 일이 잘되지 않아 변경을 해야 할 필요가 있을 때

④ 일과 관련되는 정보를 입수하였을 때

⑤ 도움이 된다고 생각되는 의견을 가지고 있을 때

그림81. 업무에 관한 일을 보고할 때는 신속, 정확, 간단하게 해야 합니다.

78 보고하는 방법

— 보고는 상사가 보고를 받고 싶어하는 것, 당신이 보고하고 싶은 것을 상대방이 이해하기 쉽게 전합니다.

— 보고는 다음 사항을 유의해야 합니다.

① 신속하게 보고한다

보고는 될 수 있는 한 빠른 시간에 신속하게 하는 것이 제일 중요합니다.

보고서를 제출하는 시간이 정해져 있거나 그 일에 상당한 시간을 필요로 할 때에도 반드시 중간에 보고를 하여 경과를 알리도록 합니다.

② 정확하게 보고한다.

보고는 절대로 정확해야 합니다. 틀린 보고로 말미암아 일의 내용이나 진행방법이 수정된다면 사태는 나쁜 방향으로 흘러갑니다.

보고는 내용을 정확하게 전하는 것이 매우 중요합니다. 자기의 의견은 사실과 의견을 구별하여 나중에 말하도록 합니다.

③ 간단 명료하게 보고한다.

먼저 보고할 내용을 간추려서 요점을 정리합니다. 보고는 반드시 결론부터 간단하게 말하고 그 다음에 경과를 순서대로 잘 설명합니다. 당신의 보고가 일목요연하지 않으면 상사는 당신이 지금 무슨 말을 하는지 모르겠다고 말할지도 모릅니다.

79 한번 더 생각하고 보고하자

— 보고에는 당신의 주관이나 개인적인 감정이 들어가서는 안 됩니다.

— 다른 사람에 관해서 말할 때 그의 기분이 어떤 것 같다고 당신의 생각이나 의견까지 곁들여서 보고해서는 안 됩니다.

— 보고하기 전에 무엇을, 어떻게 보고할 것인가를 미리 생각합니다.

— 다른 사람에게 먼저 보고를 해서는 안 됩니다. 긴급할 경우에 또는 지시한 사람이 자리에 없을 때에는 그 다음 사람에게 보고하십시오.

제 13장 전화 예절

80 전화할 때의 기본 예절

— 전화로 이야기할 때는 상대방의 모습을 볼 수 없기 때문에 말을 할 때 혹시 예의에 벗어나는 일이 없는지 각별히 주의하지 않으면 안 됩니다.

— 통화할 때는 자신이 하고 싶은 내용을 간략하고 정확하게 전하고, 또 상대방의 말을 정확하게 알아들어야 합니다.

— 상대방은 들려오는 목소리로 당신의 인상이나 당신 회사의 이미지를 상상하는 것입니다.

— 특히 처음으로 회사에 전화를 걸어온 사람에게 당신의 목소리는 바로 당신 회사의 첫인상이 되는 것입니다.

그림82. 유쾌한 전화 매너는 당신의 미소띤 얼굴을 그대로 보여줍니다.

81 상대가 당신을 보고 있다

— 전화로는 상대가 당신의 상냥한 표정을 볼 수 없습니다.

— 얼굴이나 복장을 볼 수는 없더라도 당신의 어조나 톤으로 당신이 어떤 상태로 전화를 받고 있는지 금방 알 수 있는 것입니다. 통화를 할 때는 상대가 보고 있다고 생각하십시오.

— 군것질을 한다든가 의자에 비스듬히 기대어 이야기하거나 또는 연필 등으로 전화 코드를 비비꼬거나 하지는 않습니까?

— 또한 통화중 턱밑에 수화기를 끼우는 것은 금물입니다. 필요한 경우 "잠깐 기다려 주십시오"라고 한 다음 보류 버튼을 누르십시오.

그림83. 목소리가 너무 작으면 상대방에게 의사를 정확하게 전달하지 못합니다.

82 의사 전달을 정확하게

— 전화의 핵심은 상호간에 정확한 커뮤니케이션이 이루어져야 하는 것입니다.

— 따라서 정확한 발음과 알기 쉬운 표현법을 쓰도록 평소에 많은 연습을 해야 합니다.

— 반대로 상대방의 말을 알아들을 수 없거나 의미를 제대로 파악하지 못할 때 여러번 되풀이해서 묻는 것도 매우 난처한 일입니다.

— 잘 모르거나 이해가 되지 않았을 때는 다시 물어서라도 상대의 말뜻을 정확하게 이해하여야 합니다.

그림84. 다이얼을 돌리기 전에 상대방의 전화번호를 확인합시다.

83 전화를 걸 때

— 전화를 걸 때는 내용을 정리하여, 요점을 간단하게 메모해 둡니다. 차례차례 순서에 따라서 이야기하되 중요하거나 긴급한 용건이 있으면 우선해서 먼저 이야기해야 합니다.

— 상대로부터 질문을 받을 때 즉시 대답할 수 있도록 필요한 서류나 자료를 깔끔하게 정리하여 준비하여 놓습니다.

— 상대방의 전화번호를 정확히 확인하고 틀리지 않게 또박또박 다이얼을 돌립니다.

— 자주 사용하는 전화는 당신의 전화번호부에 따로 알기쉽게 정리해 놓으면 좋습니다.

— 전화를 걸 때 주의해야 할 점은 다음과 같습니다.

① 회사의 업무를 미리 파악한다.

회사의 전반적인 내용을 파악하고 있어야 머뭇거리지 않고 즉시 응답하고 상대방에게 알기 쉽게 이야기할 수가 있습니다.

전화를 걸기 전에 말해야 하는 내용을 미리 정리하여 순서대로 일목요연하게 이야기할 수 있도록 준비합니다.

② 오해를 받지 않도록 우회적인 표현을 쓴다.

오해를 살만한 표현은 사용하지 말고 간접화법으로 우회하여 표현하는 방법을 사용하도록 합니다.

설명하기 어려운 것은 알기 쉽게 풀어서 이야기합니다.

③ 또박또박 분명하게 말한다.

정확하게 한마디한마디를 정확하게 발음합니다.

상대방이 분위기가 침체된 회사라고 생각되지 않도록 약간 큰 목소리로 그리고 평소보다 약간 높은 톤으로 이야기합니다.

④ 짧게 재빠르게 말한다.

전화요금은 적은 비용이 아닙니다. 특히 장거리 전화나 이동전화에 거는 요금은 매우 비쌉니다. 통화는 짧게 합시다.

필요 이상으로 오랫동안 이야기하는 것은 좋지 않습니다.요점만 간단히 말하는 전화 습관을 기릅시다.

근무 도중 친구와 시시콜콜한 일을 가지고 장황하게 이야기하는 것은 절대 금물입니다. 모든 사람들이 열심히 일하고 있는 회사의 분위기를 망칠 뿐만 아니라 당신의 근무성적에 절대적인 영향을 미치게 됩니다.

그림85. 자신의 신분을 먼저 밝히고 메모를 보면서 필요한 사항을 말합니다.

84 전화할 때의 예절

— 이쪽에서 신분을 밝힌다. "00회사 00과의 000입니다." 라고 명확하게 말하고, "00과의 000씨를 부탁합니다." 하고 자신이 통화하려는 사람을 빠꾸어 달라고 말합니다.

— 찾는 상대가 나오면 "안녕하십니까." "00회사 00과의 000입니다." 라고 이쪽의 신분을 밝힙니다.

— "00건 때문에 전화를 드렸는데요." 하고 용건을 말합니다. 상사의 부탁으로 전화하는 경우 상대방의 이름을 확인합니다.

— 요점을 다시 확인한다. 잘못 말한 것이 없는지 마지막에 확실하게 다시 한 번 확인한다.

그림86. 용무가 끝나면 상대가 전화를 끊은 후 조용히 수화기를 내려놓습니다.

— "감사합니다." "잘 부탁합니다." 하고 마지막으로 인사를 합니다.

— 상대가 전화를 끊는 것을 조용히 기다렸다가 수화기를 내려 놓습니다.

— 상사의 지시에 따라서 전화를 걸었을 경우에는 반드시 그 결과를 상사에게 보고해야 합니다.

— 전화는 거는 쪽이 먼저 끊는 것이 일반입니다. 하지만 윗사람이나 상사에게 전화를 했을 때는 상대가 전화를 끊는 것을 확인하고 나서 전화를 끊어야 합니다. 상대가 전화를 빨리 끊으라고 했을 경우에는 숨을 한번 쉰 후 조용히 수화기를 내려놓으십시오.

그림87. 전화벨이 울리면 재빨리 전화를 받아 상대방이 기다리지 않게 합니다.

85 전화를 받을 때

— 사무실의 전화벨이 울리면 재빨리 전화를 받아 상대방이 기다리지 않게 해야 합니다.

— 전화를 받을 때는 왼손으로 수화기를 들고, 오른손으로는 필기도구를 쥐고 메모할 준비를 합니다.

— 필기도구와 메모지는 항상 자신의 전화기 근처에 준비해 두십시오.

— 메모지는 일정한 양식을 만들어 두면 쓰기에 편리합니다.

— 당신이 잘 모르는 내용의 전화가 오면 빨리 그 내용을 알고 있는 선배나 상사에게 전화를 바꿔줍니다.

그림88. 필기도구와 메모지는 항상 전화기 근처에 준비해 두도록 합시다.

86 전화를 받는 순서

— 전화벨이 울리자 마자 수화기를 듭니다.

— "네, 00회사의 0과 000입니다."라고 회사명과 부서명을 말합니다.

— 상대를 모를 때 "죄송하지만 누구십니까"라고 확인합니다.

— 상대가 이름을 말하면 "안녕하세요."하고 인사합니다.

— 타인의 전화는 빨리 연결하고 내용은 정확히 메모합니다.

— 숫자나 고유명사는 되풀이하여 상대방에게 확인합니다.

— "감사합니다"하고 인사를 하고 상대가 전화 끊기를 기다렸다가 수화기를 조용히 내려놓습니다.

그림89. 왼손으로 수화기를 들고 오른손으로는 펜을 쥐고 메모를 하도록 합니다.

87 전화 받을 때의 예절

— 수화기를 들고 상대방의 신분을 확인합니다. 상대가 "00회사입니다."라고 말하면 "실례지만, 00회사의 어느 분이십니까?"라고 다시 묻습니다.

— 전화를 연결할 때는 보류 버튼을 누르거나 손으로 송화구를 막은 다음 "00회사의 00씨 전화입니다."라고 말합니다.

— 용건을 전할 경우 정확하게 메모를 했다가 전해 줍니다.

— 전화를 받을 사람에게 알려줄 때는 상대방이 들을 수 있을 정도의 목소리로 말합니다. 멀리 떨어져 있을 경우에는 상대방에게 다가가서 "00에게서 전화가 왔습니다"하고 알려줍니다.

그림90. 상사에게 전화를 연결할 때는 보류버튼을 누른 다음 연결합니다.

88 사사로운 전화는 짧게

— 회사에서는 사적인 전화를 사용하지 않는 것이 좋습니다. 그러나 걸려온 전화는 조용히 받도록 합니다.

— 부득이 전화를 사용해야 할 때는 다른 사람들이 업무중인 것을 잊지 말고 조용히 용건만 간단히 말하도록 합니다.

— 회사에서는 자신의 휴대폰이나 삐삐를 진동모드로 설정하여 근무중 느닷없이 전화벨이 울리는 일이 없도록 특별히 주의합시다.

— 휴대폰에 전화가 걸려왔을 때도 음성을 낮추어서 간단히 통화하도록 합시다.

그림91. 근무중에 사적인 전화를 오랫동안 사용하는 것은 금물입니다.

89 잘못 걸려온 전화도 친절하게

— 전화번호를 잘못 알고 실수로 전화를 한 사람일지라도 친절하게 대해 줍시다.

— 잘못 걸려온 전화는 짜증이 나지만 "번호를 다시 확인하고 걸어 주십시오."라고 친절하게 말합니다.

— 당신은 수화기에 대고 회사와 당신의 이름을 상대방에게 알려 주었기 때문에 그 사람은 이미 당신을 알고 있습니다.

— 전화를 잘못한 사람일지라도 당신 회사의 제품을 사용하는 고객중의 한 사람인지도 모릅니다. 당신은 언제나 긴장을 풀지 말고 예절바른 자세로 전화를 받으십시오.

그림92. 회사에 대한 불평 전화가 걸려왔을 때는 능란하게 이에 대처합니다

90 불평 전화는 능숙하게

— 회사의 제품이나 서비스에 대한 고객의 불평전화가 걸려올 때는 지체없이 상냥한 어조로 상담을 합니다.

— 불평의 내용을 파악하도록 합니다. 그리고 윗사람에게 보고하거나 담당자에게 그 사건을 맡기는 것이 좋습니다.

— 그리고 불평전화의 내용을 청취하고 자신이 상담하여 해결할 수 있으면 다른 사람에게 연결하지 말고 당신 스스로 능숙하게 처리하도록 하십시오.

— 상대방이 아무리 화가 나 있더라도 결코 흥분하면 안 됩니다. 최대한 성의를 가지고 진심으로 사과를 합니다.

91 전화메모의 양식

전 화 메 모
년 월 일 시
수신인:
발신인: 회사명 부서 성명
방문자: 회사명 부서 성명
용건:
요망사항: (긴급여부, 전화응답여부, 긴급 전화번호, 등)
수신자:
처리내용:

— 전화를 메모할 용지는 위와 같은 양식으로 되어 있는 것을 준비하여 필요한 사항을 자세히 써넣는 것이 편리합니다.

— 일정한 양식에 의해서 메모가 되어 있으면 메모를 전해 받는 사람도 누구한테서, 왜 전화가 걸려왔는지 한눈에 알아볼 수 있어서 좋습니다.

— 메모는 반드시 어떻게 처리하였는지 그 여부를 기록하여 철해 두었다가 후일 다시 확인할 수 있도록 합니다.

제14장 손님 접대하기

92 손님이 방문했을 때

— 회사를 찾아온 손님은 누구를 찾아왔건 여직원인 당신이 제일 먼저 맞이하게 됩니다.

— 그래서 당신이 손님을 어떻게 맞이하는가에 따라 손님의 당신 회사에 대한 이미지가 결정됩니다.

— 손님을 예의바르고 상냥하게 인사하고 맞이하면, 심각한 업무상의 이야기도 스무스하게 처리될 수 있습니다.

— 반대로 처음 받은 인상이 나쁘면 손님은 기분이 불쾌해져서 이런 회사와는 더 이상 일하고 싶지 않다고 생각할지도 모릅니다.

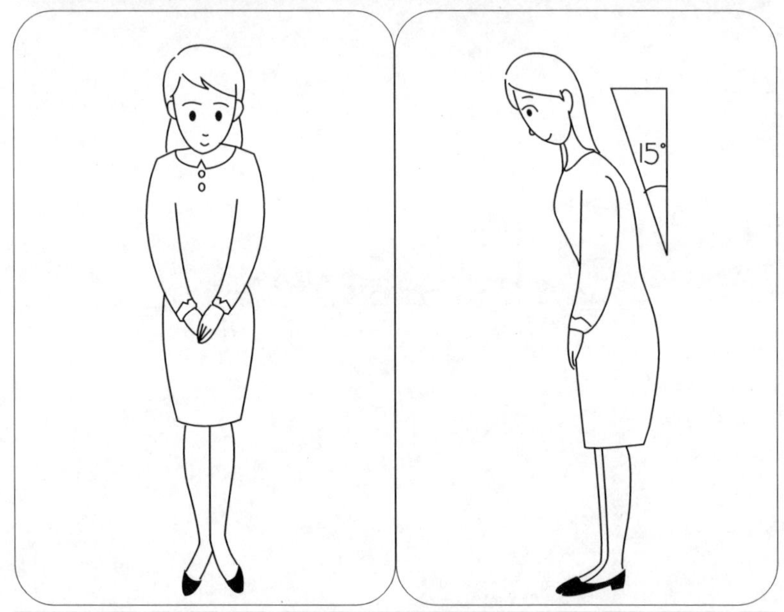

그림93. 회사의 동료 또는 선배를 복도에서 마주칠 때는 가벼운 목례를 합니다.

— 손님들 중에는 미리 예약한 손님, 당신이 얼굴을 아는 손님, 처음 오는 손님 등이 있습니다. 미리 방문할 것을 예약한 손님에게는, "00 씨이군요. 기다리고 있었습니다."라고 인사를 하도록 합니다.

— 당신이 얼굴을 알고 있는 손님을 특별 취급해서는 안 됩니다. 어떤 손님이라도 진심으로 맞이하는 것이 기본입니다.

— 처음 온 손님이나 찾아온 용건을 잘 모르는 손님은 약간 떨어져서 선 채로 손님의 회사명, 이름과 용건을 여쭈어 본 후 해당 직원에게 안내하고 접대를 하도록 합니다.

— 여러 손님이 한꺼번에 왔을 때는 얼굴을 아는 사람을 먼저 맞이하지 말고, 정확히 들어온 순서에 따라 접대를 하십시오.

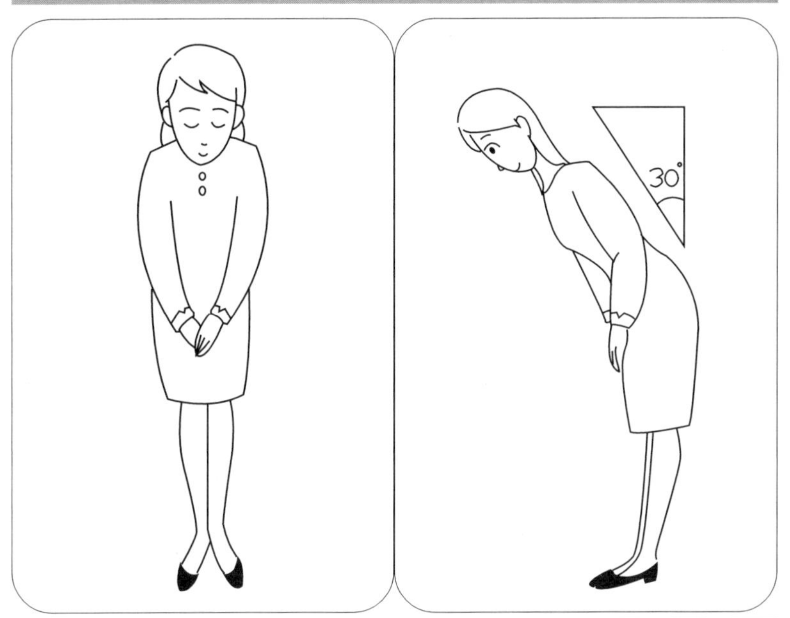

그림94. 손님에게는 두 손을 모으고 허리를 30도 정도 굽혀 정중히 인사합니다.

93 손님에게 인사하기

— 손님이 오면, 바로 일어서서 "어서 오십시오."라고 밝고 명랑한 목소리로 인사를 하면서 맞이합니다.

— 인사에는 여러 가지 종류가 있습니다. 때와 장소, 상대 등 그때의 상황에 각각 어울리는 방법을 택하도록 하십시오.

— 상대의 얼굴을 확인한 후 등을 똑바로 하고 머리는 약간 숙이고 상체를 적당히 굽힙니다. 얼굴을 들고 상체만 숙이면 좋지 않습니다.

— 공손하게 인사를 할 수 있도록 다음과 같이 항상 자신의 자세를 몸에 익히도록 습관을 기릅시다.

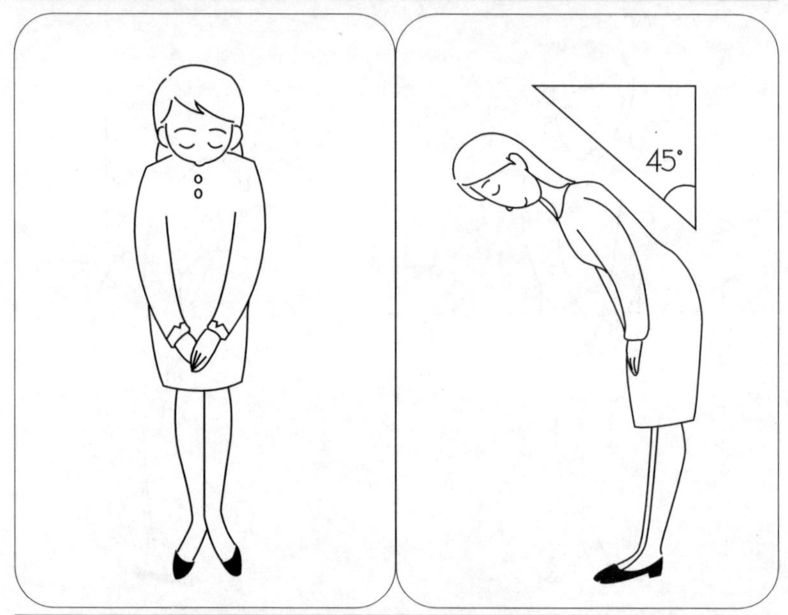

그림95. 윗 사람에게는 최대로 상체를 숙여 공손히 인사합니다.

① 가벼운 인사

직장 동료나 아침에 인사했던 상사를 조금 떨어진 곳이나 복도 또는 엘리베이터 안에서 만났을 때 하는 인사입니다. 이때 두 손은 허리에 붙이거나 앞에 모은 채 상체를 15도 정도 앞으로 숙입니다.

② 정중한 인사

방문객이나 손님에게는 "어서오십시오."하고 정중하게 인사를 합니다. 이때 두손을 모으고 상체를 30도 정도 숙입니다.

③ 공손한 인사

표창을 받을 때 등 특별한 경우에 하는 인사입니다. 이때 상체는 더욱 숙여서 45도 정도까지 숙입니다.

그림96. 손님의 명함을 받아서 무의식중에 손가락으로 만지작거리거나 명함을 내리고 흔드는 것, 또 주머니에 집어넣는 짓은 절대로 안 됩니다.

94 명함 교환하기

— 손님을 맞을 경우 가장 먼저 손님에게서 명함을 받는 것부터 시작합니다. 명함은 언제나 바른 자세로 정중하게 받도록 해야 합니다.

— 명함은 손바닥에 올려놓는 것 같은 기분으로, 엄지 손가락으로 끝부분을 살짝 누르고 왼손으로 받치듯해서 받습니다.

— 손끝으로 손님의 명함을 받으면 상대를 너무 하찮게 대하는 것 같아 실례가 됩니다.

— 반대로 두손으로 덥석 받게 되면 손가락이 손님의 이름을 가리게 되어 보기가 좋지 않습니다.

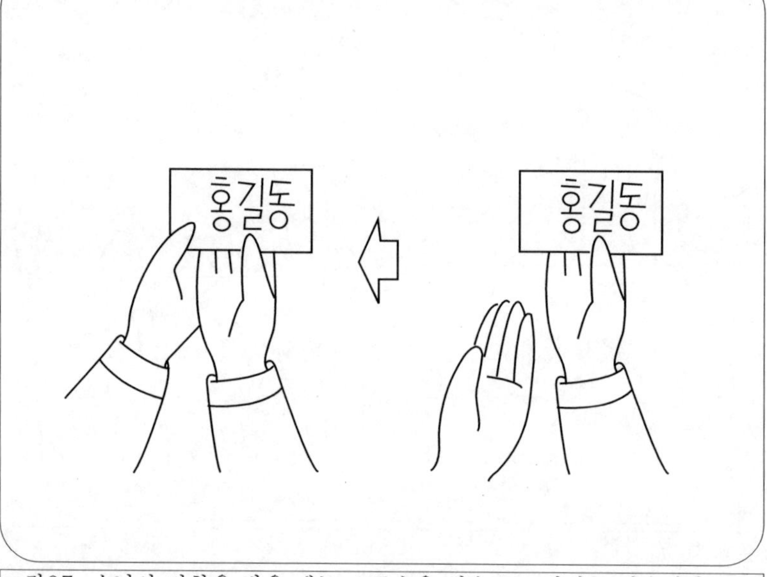

그림97. 손님의 명함을 받을 때는 오른손을 왼손으로 받치고 받습니다.

95 손님의 명함을 받을 때

— 손님이 찾아와서 자신의 명함은 내밀 때는 오른손을 앞으로 조금 내밀고 왼손으로 오른손을 받쳐서 두손으로 공손하게 받습니다.

— 명함을 자세히 읽어보고 목례를 하며 "00회사의 00씨이군요"라고, 상대방의 회사와 이름을 확인합니다.

— 상대방이 자신을 소개할 때 그의 말을 신중하게 듣고 있는 것 같은 인상을 주도록 하십시오.

— 그런 연후에 찾아온 용건을 듣고 손님이 원하는 직원이나 임원에게 전달하러 가야 합니다.

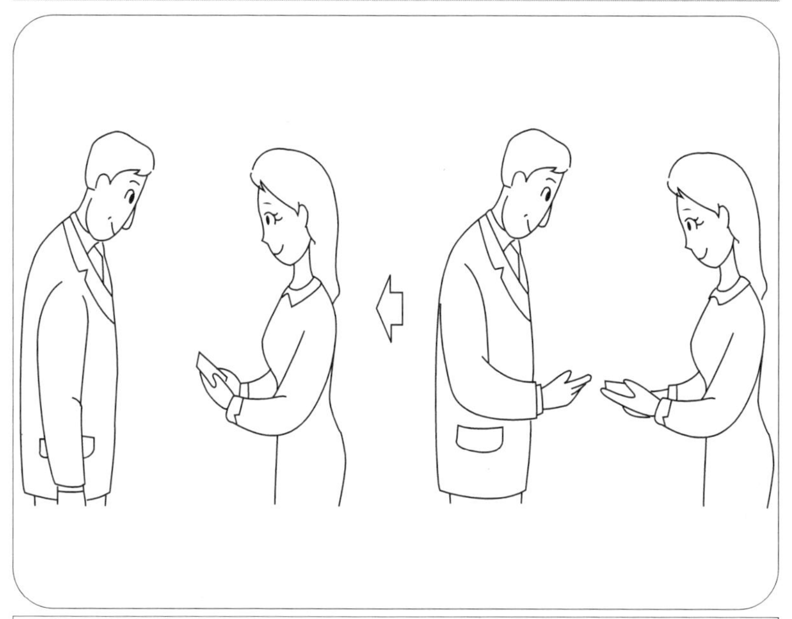

그림98. 손님의 명함을 읽으면서 "00 회사의 00씨군요."하며 확인을 합니다.

— 명함을 받을 때 주의할 행동 요령입니다.

① 명함은 손님의 얼굴이므로 정중하게 받아서 정면에서 똑바로 보이도록 들고 소중하게 다루는 듯한 인상을 손님에게 주도록 하십시오.

② 일을 하는 도중 얼결에 펜을 쥐고 있는 채로 손님이 불쑥 내민 명함을 받는 경우가 있는데 이것은 예의에 어긋납니다. 재빨리 펜을 놓고 공손하게 대하도록 하십시오.

③ 손님의 명함을 받자마자 책상 위에 내려놓거나 손님이 보는 앞에서 명함첩에 끼우는 것은 상대를 가볍게 생각하는 행동이므로 주의하십시오.

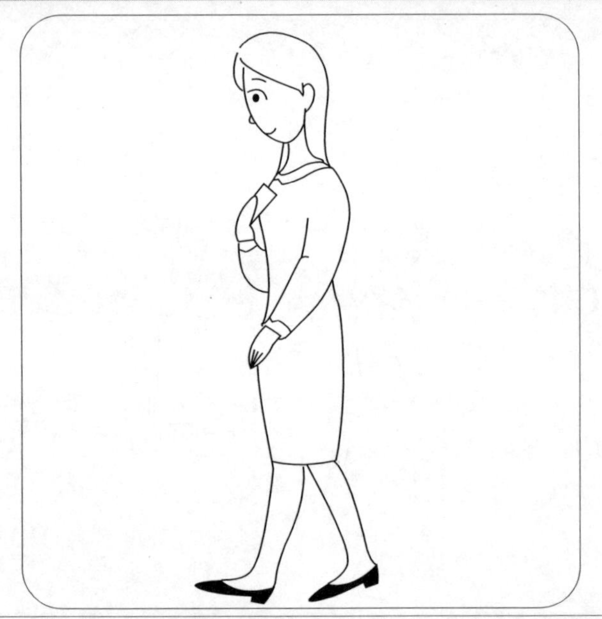

그림99. 상사에게 알리러 갈 때는 명함을 가슴 부분까지 들어올린 채 걷습니다.

④ 받은 명함을 손가락으로 만지작거리거나 장난을 하여 모서리가 구겨지게 해서는 안 됩니다.

⑤ 손님에게서 자리를 떠날 때 손님의 명함을 든 손을 허리아래로 내리고 손을 흔들거리면서 걸어가면 손님을 하찮게 생각하는 인상을 주게 되어 결례입니다.

⑥ 손님에게서 받은 명함을 소중하게 간직하지 않고 자신의 스커트의 주머니에 넣거나 하는 일은 손님이 보지 않았다 하더라도 지성인으로서 삼가야 할 일이므로 주의하십시오.

⑦ 상사에게 손님의 방문을 전하러 갈 때에는 명함을 든 손을 가슴부분까지 올려서 마치 중요한 물건을 간직하듯이 명함을 소중하게 들고 걸어 가십시오.

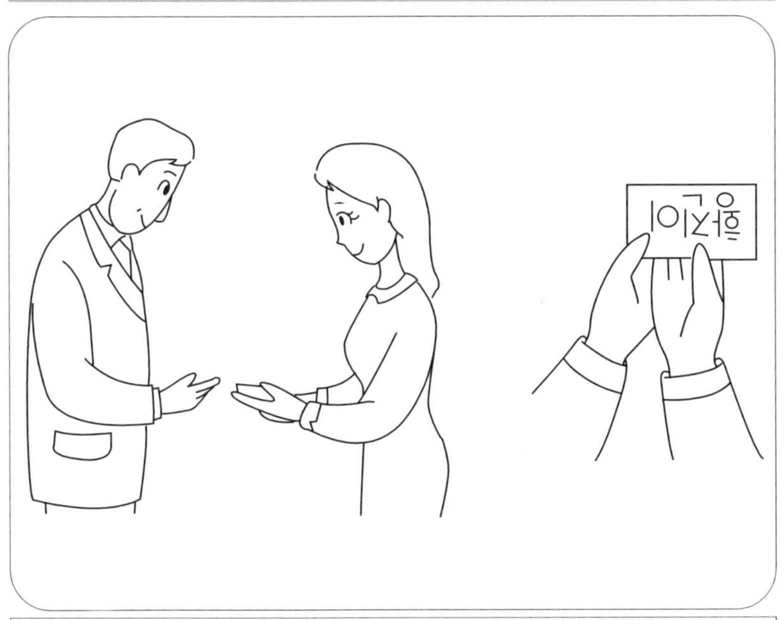

그림100. 명함을 줄 때는 상대방에게 향하도록 왼손으로 오른손을 받치고 줍니다.

96 자신의 명함을 줄 때

— 이쪽에서 명함을 건네주어야 할 필요가 있을 경우에는 당신이 상대보다 먼저 명함을 건네주는 것이 좋습니다.

— 명함은 아래 사람이나 방문객, 또는 소개받은 사람이 먼저 건네주는 것이 원칙입니다.

— 명함을 줄 때는 오른손으로 자신의 이름이 가리지 않게 쥐고, 왼손으로 받치고 자신을 소개하면서 건네줍니다.

— 명함을 핸드백에서 꺼내느라고 꼼지락거리며 상대를 기다리게 해서는 실례가 되니 항상 쉽게 꺼낼 수 있도록 가까운 곳에 두도록 합시다.

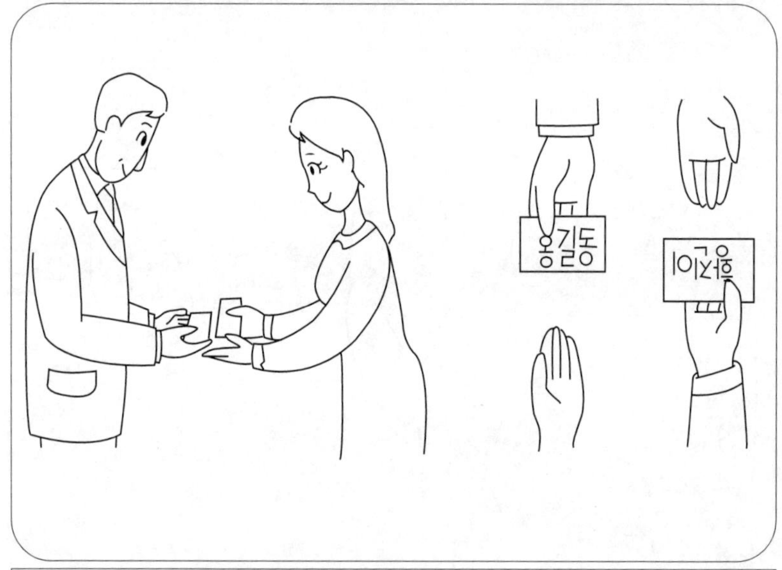

그림101. 손님과 명함을 동시에 교환할 때는 오른손을 내밀어 자신의 명함을 주고, 왼손을 약간 내밀어서 상대방의 명함을 받습니다.

— 손님이 명함을 먼저 내밀었을 경우 명함을 받으면서 가볍게 목례를 하고 직함과 이름을 확인한 후 즉시 자신의 명함을 건네주도록 합니다.

— 자신의 명함을 주려고 손에 들고 있는데 손님이 먼저 명함을 내밀었을 경우에는 오른손으로 명함을 받아 왼손에 있는 자신의 명함 위에 올려놓은 뒤 밑에 있는 자신의 명함을 꺼내서 건네 줍니다.

— 상대와 동시에 명함을 꺼냈을 경우에는 오른손으로 자신의 명함을 건네주고, 왼손으로는 상대의 명함을 받아서 동시에 교환을 하도록 합니다. 이때 오른손을 조금 더 많이 내밀고, 왼손은 약간 조금 내밀어 명함을 정중하게 받도록 합니다.

그림102. 손님쪽으로 상체를 약간 기울이고 신분과 용건을 묻습니다.

97 손님의 신분과 용건을 확인한다

— 회사명과 이름을 확인하고 "00선생님입니까."라고 묻고 "실례지만 어느 회사에 계십니까."라고 이름과 회사를 확인합니다.

— 약속된 손님은 몇시에 어떤 용건으로 올 것인지를 미리 기억해 "기다리고 있었습니다."라고 말하고 안내를 합니다.

— 불시에 찾아온 손님에게는 "계십니다."라고 대답하지 말고 손님의 신분과 용무를 확인하고 난 후 적절하게 응대합니다.

— 상사가 부재중일 때에는 몇시경에 누가 어떤 용건으로 방문하였는지를 메모하여 반드시 전달하여야 합니다.

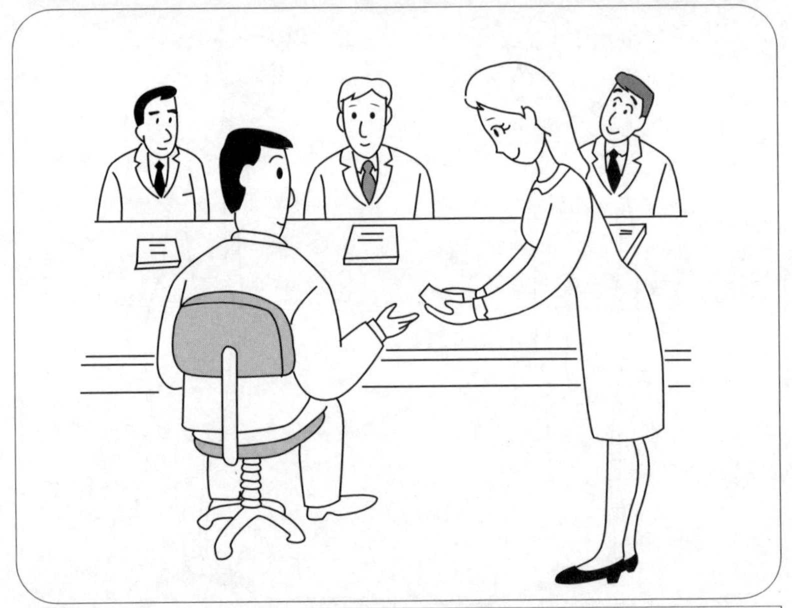

그림103. 상사가 회의중일 경우에는 손님의 방문 사실을 메모하여 알립니다.

98 상사에게 손님의 방문을 알린다

— 손님에게 "죄송하지만 잠시만 기다려 주시겠습니까."라고 말하고 목례를 한 후 해당되는 상사에게 전달합니다.

— 상사의 앞에 가서 목례를 한 다음 "00회사의 00씨가 찾아 오셨습니다."라고 말하며 손님의 명함을 건네줍니다.

— 상사가 상담하고 있을 때는 상담에 방해가 되지 않도록 기다린 다음 손님이 찾아왔음을 알리도록 합니다.

— 회의중 또는 상담중일 때는 손님에게 돌아와서 그 사실을 말하고, 급히 전달할 내용이 있으면 메모하여 먼저 전달하고 상사의 지시를 받도록 합니다.

제15장 손님 안내하기

99 상사에게 안내할 때

— 손님을 상사에게 안내할 때는 "안내해 드리겠습니다." 하며 가야할 방향을 가리킵니다.

— 복도에서는 손님보다 약 1미터 앞 약간 오른쪽을 걸어갑니다. 손님은 복도의 중앙을 걷도록 합니다. 그러나 문이 왼쪽에 있을 때는 왼쪽으로 걸으면서 안내합니다.

— 계단에서는 손님보다 앞서서 안내합니다. 모퉁이에서는 잠시 멈추고 손님에게 갈 방향을 가리킵니다.

— 손님을 안내하면서 때때로 뒤를 돌아보며 걷는 속도를 확인하며 손님의 보조에 맞추어 걷도록 합니다.

그림104. 손님을 안내할 때는 몸을 약간 기울이며 갈 방향을 가리킵니다.

— 손님을 안내하여 계단을 오를 때는 손님보다 3~4계단 앞서서 올라가며 손님에게 등을 보이지 않도록 손님을 향하여 몸을 약간 비스듬히하여 오릅니다.

— 손님의 발걸음을 확인하고, 층계참에서는 한번 발걸음을 멈춰서 손님이 뒤따라 오는가를 확인합니다.

— 손님이 노인이거나 어린이를 동반하고 있을 때에는 특히 주의하여야 합니다. 상황에 따라서는 먼저 계단을 올라가서 손님을 기다려도 됩니다.

— 계단을 내려갈 때는 당신이 3. 4걸음 먼저 내려가며 손님을 안내하는 것이 좋습니다. 그 경우에도 손님의 걸음에 보조를 맞추도록 하십시오.

그림105. 엘리베이터에 먼저 들어가서 버튼을 누르고 손님이 타도록 합니다.

100 손님을 엘리베이터로 안내할 때

— 손님을 윗층으로 모셔야 할 때는 엘리베이터에 타기 전에, "00층의 회의실로 안내하겠습니다."하고 몇 층으로 가는지 손님에게 미리 알리도록 합니다.

— 엘리베이터로 손님을 안내할 때는 엘리베이터 문을 열고 당신이 먼저 들어가서 안쪽의 열림버튼을 누르고 손님이 탑승하도록 합니다.

— 손님에게 "자, 타십시오."하며 탑승시킵니다.

— 손님이 여러 명일 때는 가장 윗사람을 먼저 안내하여 안쪽에 탑승시키고 나머지 손님들을 앞쪽으로 탑승시킵니다.

그림106. 내릴 때는 열림버튼을 누르고, 손님이 먼저 내리도록 합니다.

— 손님이 탑승하면 문을 닫고 계기판 앞에 서서 올라가는 층의 번호를 누르고 조용히 기다리도록 합니다.

— 엘리베이터 안에서는 손님이 말을 걸지 않는 한 손님을 돌아보거나 쓸데없는 몸짓을 삼가해야 합니다.

— 엘리베이터가 목적하는 층에 도착하면 "다 왔습니다." 하고 손님에게 말하면서 열림버튼을 눌러 손님이 안전하게 내리도록 합니다.

— 노약자나 어린 아이가 있을 때는 손으로 부축해 주도록 하는 것이 더욱 아름다운 행동입니다.

— 손님들이 모두 복도로 나오면 응접실쪽을 가리키며 그쪽으로 안내합니다.

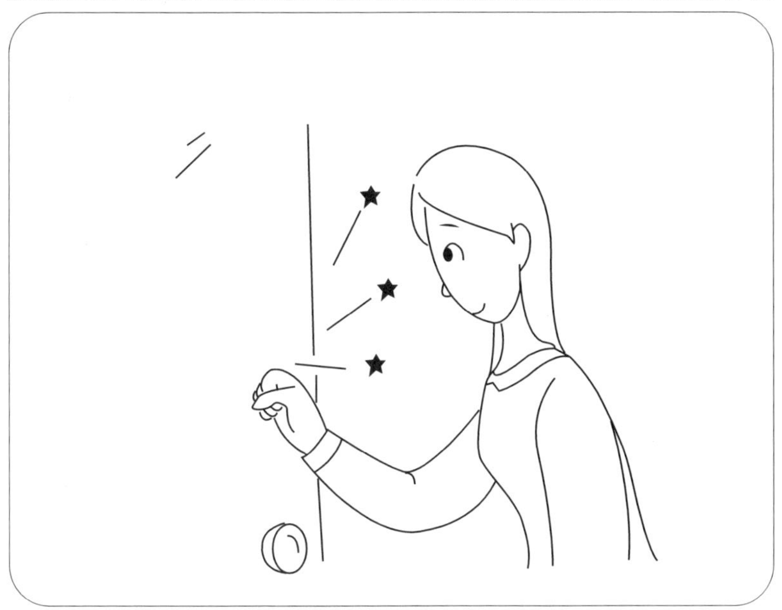

그림107. 손님을 기다리게 한 후 상사의 방문을 노크합니다.

101 응접실로 안내할 때

— 응접실 앞에 도착하면 "여깁니다."하고 손님에게 상사의가 기다리는 응접실에 도착했음을 알리고 반드시 방문을 노크하도록 합니다.

— 노크를 하는 것은 응접실 안에 있는 사람에게 내가 왔다는 것을 알리는 신호이며 동시에 들어가도 되겠습니까 하고 허락을 요청하는 행위입니다.

— 만약 노크를 하였는데도 안쪽에서 아무런 대답이 없다면 응접실이 비어 있다는 신호입니다. 그래서 노크는 반드시 필요한 것입니다.

그림108. 노크를 하지 않고 문을 열면 안에 있는 사람에게 큰 실례가 됩니다.

— 때때로 손님이 먼저 문을 열고 들어가는 경우가 있는데 이런 일을 방지하려면 정신을 바짝 차려야 합니다.

— 노크는 안에 있는 사람이 들을 수 있을 정도로 3번 정도 하는 것이 보통이고 그 간격을 알맞게 해야 합니다.

— 응접실이 아무도 없고 비어 있는 경우일지라도 반드시 노크를 하는 습관을 기르도록 합시다.

— 응접실은 예정에 없이 회사 동료들 중 누군가가 갑자기 사용하고 있는 경우가 있을 때도 있습니다.

— 그러한 것을 생각하지 않고 노크도 없이 갑자기 문을 벌컥 연다면 그 방에 있던 사람들이 깜짝 놀라서 불쾌하게 생각할 것입니다.

그림109. 방문이 자기 앞으로 당겨서 여는 경우 충분하게 열어서 손님을 안으로 들어가게 한 다음 뒤따라 들어가서 문을 닫도록 합니다.

102 문을 열 때와 닫을 때

— 사무실 문은 밖으로 당겨서 여는 문과, 안으로 밀어서 여는 문, 2가지 종류가 있습니다. 이들 2가지 문을 열 때는 각각 취급 방법이 틀립니다.

— 평소에 이들 2가지 문을 여는 방법과 닫는 방법을 몸에 익히도록 하여 손님을 상사의 방에 안내할 때 허둥대는 일이 없도록 합시다.

— 안쪽에서 들어오라는 목소리가 들리면 당겨서 여는 문일 경우 손잡이를 돌려 당겨서 문이 복도쪽으로 90도 정도가 되게 문을 활짝 엽니다.

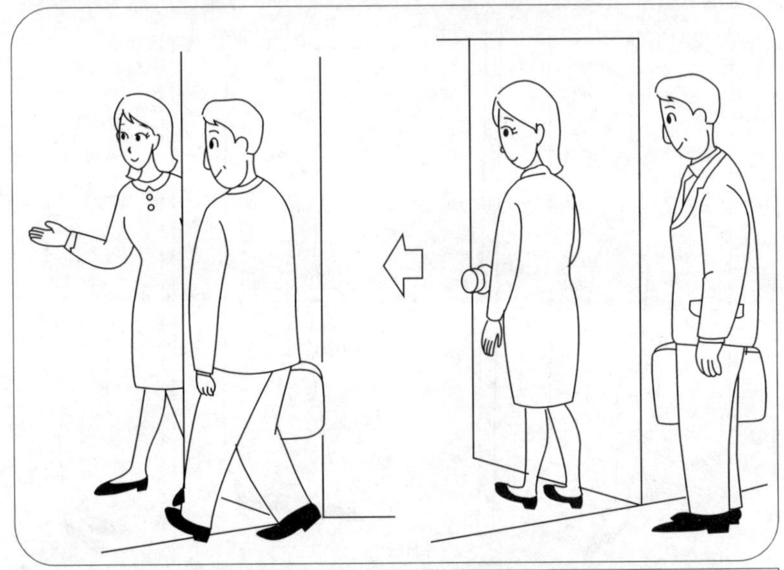

그림110. 방문이 안으로 밀어서 여는 경우 문을 안으로 밀고 먼저 들어간 후 문 옆에 나란히 서서 손님을 안으로 들어오게 한 다음 문을 닫습니다.

— 열린 문에 나란히 서서 손님의 얼굴을 보고 가볍게 목례를 하면서 손님을 먼저 안으로 들어가게 합니다.

— 손님이 응접실 안으로 들어가면 곧 바로 안으로 따라 들어갑니다. 그리고 몸을 바로한 채 몸 뒤로 한손으로 손잡이를 잡고 당겨서 문을 닫습니다.

— 밀어서 여는 문은 손잡이를 돌려 문을 안쪽으로 밀어 충분히 열고 당신이 손님보다 먼저 실내에 들어가야 합니다.

— 안에 들어가면 문과 나란히 서서 한 손으로 문을 잡은 채 손님을 안으로 들어오도록 안내합니다.

— 손님이 완전히 실내에 들어온 후에 몸을 돌리고 한손으로 손잡이를 쥐고 뒤로 밀어서 문을 닫습니다.

그림111. 응접실의 안쪽에 있는 의자, 또는 창가에 있는 의자가 최상석입니다.

103 응접실 준비하기

— 응접실은 항상 깨끗이 갖춰 놓아야 합니다.

— 테이블은 깨끗하게, 의자 커버는 새것으로 준비합니다.

— 시계나 달력의 날짜는 정확하게, 그리고 신문과 주간지는 항상 새로운 것으로 바꾸어 준비합니다.

— 손님이 돌아간 뒤에는 찻잔을 치우고, 재떨이를 비우고 테이블 위를 깨끗이 닦아놓습니다.

— 전화기 옆에는 상담할 때 필요한 필기용구와 메모용지를 항상 준비해 둡니다.

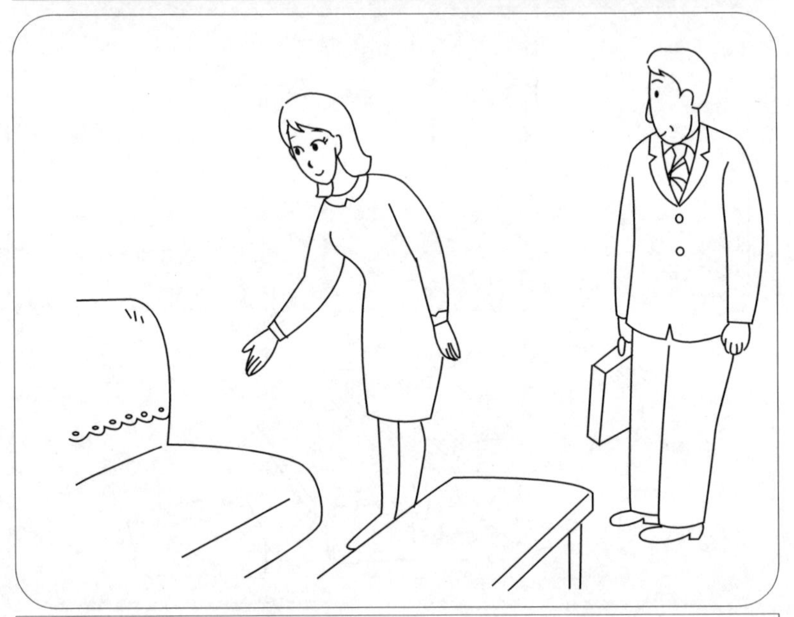

그림112. 손님에게 적당한 좌석을 가리키며 앉을 것을 권합니다.

104 손님에게 의자를 권한다

— 응접실에서는 제일 안쪽 소파가 상석입니다. 손님의 지위에 따라 바른 자리에 안내하도록 정확하게 앉을 순서를 기억해야 합니다.

— 의자를 권할 때에는, 손님의 옆에 서서, 오른손으로 자리를 가리키며 앉을 자리를 권합니다.

— 손님이 먼저 자리에 앉았을 경우 손님이 사양하면 굳이 무리하게 권할 필요는 없습니다.

— 거래상의 관계, 연령, 직책으로 보아 윗사람인데도 불구하고 상석을 사양하면 손님이 편하도록 합니다.

그림113. "잠시만 기다려 주십시오"하며 인사를 하고 밖으로 나옵니다.

— 손님이 자리에 앉으면 손님이 불편한 것이 없는지 살펴보고 잡지나 신문을 테이블에 놓아둡니다.

— 손님에게 "00과장님은 곧 오실 겁니다. 잠시만 기다려 주십시오."라고 말하며 목례를 합니다.

— 응접실을 나갈 때는 문앞에서 돌아서서 다시 한번 손님에게 목례를 하고 밖으로 나갑니다.

— 그리고 곧장 지시를 한 상사에게 가서 "00회사의 00씨를 응접실에 안내하였습니다."라고 보고를 합니다.

— 보고를 하는 것은 지시를 내린 상사에게 손님이 기다리고 있음을 알려주는 것입니다.

제16장 차 예절

105 차를 대접할 경우

— 회사를 찾아온 손님에게 맛있는 차를 대접하는 것은 매우 중요한 일 중의 하나입니다. 그것은 회사의 이미지를 높여 주는데 중요한 역할을 합니다.

— 비즈니스에 앞서서 맛있는 차를 대접하면 분위기를 부드럽게 만들고 대화를 원활하게 이끌도록 합니다.

— 이와 같이 비록 차 한잔이 손님을 기쁘게 하고 회사와 관련된 상담이 성공적으로 진행되는데 큰 영향을 미치므로 차를 대접하는데 소홀함이 없도록 해야 합니다.

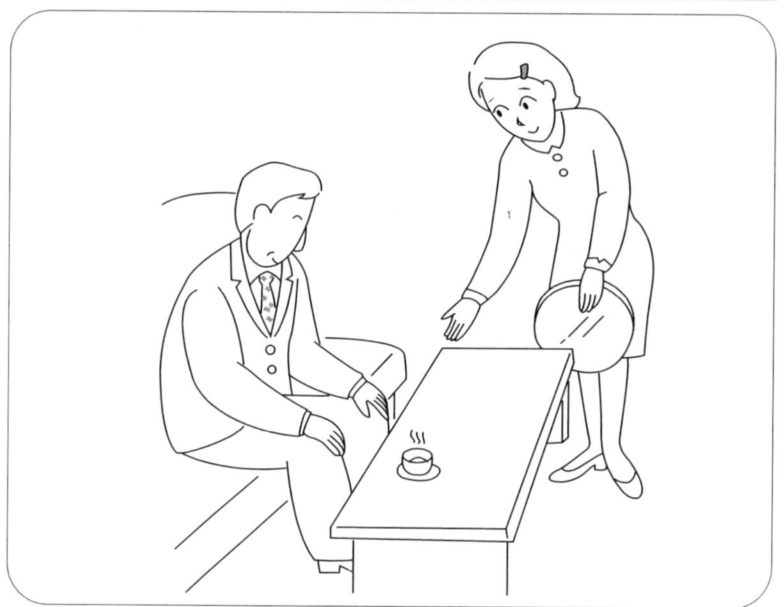

그림114. 손님에게 맛있는 차를 대접하면 기분 좋게 일을 할 수 있게 합니다.

106 차를 준비하기

— 맛있는 차를 준비하는데 가장 중요한 점은 당신의 정성을 담아 준비하는 것입니다.

— 먼저 손님에게 회사에 준비되어 있는 차를 알려드리고 어떤 차를 드실 것인지를 여쭈어 봅니다.

— 차를 준비할 때 온도는 70-80도 정도, 컵의 70%정도 차를 담습니다. 적당한 온도야 말로 맛과 향기를 살아나게 하는 것입니다.

— 여러 명의 손님에게 차를 대접하는 경우에는 똑같은 찻잔에 같은 차를 대접하는 것이 좋습니다.

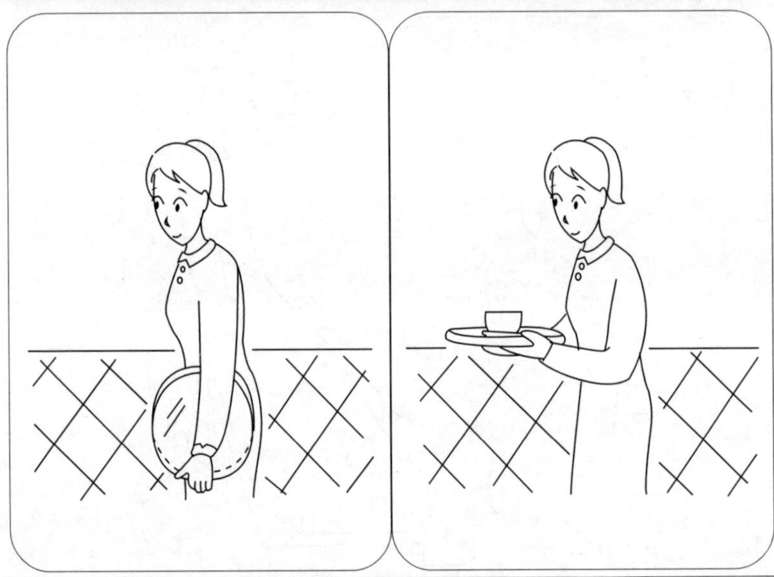

그림115. 차를 운반할 때는 쟁반을 가슴 높이까지 올려서 들고 갑니다. 차를 내려놓은 뒤에는 윗면이 바깥쪽으로 나오도록 하여 왼손으로 듭니다

107 차를 가져갈 때

— 차를 가져갈 때는 쟁반에 올려서 양손으로 가슴 높이까지 들고 갑니다. 이때, 팔꿈치의 각도는 90도 정도로 합니다.

— 문을 노크하고 방에 들어가서 손님들에게 목례를 하고 쟁반을 보조탁자에 내려놓습니다.

— 찻잔을 모두 내려놓으면 쟁반을 겨드랑이 사이에 살짝 들고 문에서 다시 가볍게 목례를 하고 조용히 문을 나섭니다.

— 빈 쟁반을 들고 돌아올 때도 윗면이 바깥쪽을 향하게 왼손으로 몸에 붙여 들고 갑니다.

그림116.차는 손님 중 윗사람부터 올리고 상사에게는 맨 나중에 올립니다.

108 차를 드릴 때

— 차는 윗사람부터 차례로 드리고 자기 회사의 상사에게는 제일 나중에 드리도록 합니다.

— 양손으로 드릴 수 없을 때는 반드시 "실례합니다."하고 말을 하면서 정중하게 찻잔을 탁자에 내려놓습니다.

— 손님의 뒤쪽에서 찻잔을 가져가는 경우에는 손님의 오른쪽으로부터 드리는 것이 보통입니다.

— 그것이 어려운 경우에는 가장 내려놓기 쉬운 쪽부터 드리는 것이 좋습니다.

그림117. 차를 올릴 때 녹차는 손님의 약간 오른쪽에, 커피는 중앙에 놓습니다.

109 찻잔을 놓는 법

— 차를 내려놓을 때는 손님의 약간 오른쪽, 테이블의 끝으로부터 약 10센티 정도 안쪽에 놓습니다.

— 찻잔에 덮개가 덮여 있는 경우, 또는 커피를 가져왔을 경우에는 손님이 양손으로 다루어야 하기 때문에 손님의 정면에 놓아 둡니다.

— 회의 등, 테이블위에 서류가 많이 널려 있을 경우에는 잠시 기다렸다가 서류를 치운 후에 내려 놓거나 그렇지 않으면 먼저 양해 말씀을 드리고 조금 떨어진 곳에 놓아두도록 합니다.

그림118. 왼쪽부터 쥬스/ 커피/ 차, 티스푼은 손잡이를 우측 앞쪽에 놓습니다.

110 찻잔을 세팅하는 법

— 찻잔의 그림이 손님의 정면을 향하게 잔을 내려 놓습니다.
— 찻잔의 안쪽에 그림이 있는 경우 역시 그 그림이 손님에게 보이도록 놓아 둡니다.
— 커피잔의 손잡이가 손님의 오른쪽으로 향하게 놓습니다.
— 티스푼이나 스트로우 역시 손잡이가 오른쪽을 향하게 찻잔의 앞쪽에 놓습니다.
— 쟁반에 찻잔을 놓을 때 미리 방향을 맞추어 놓으면 손님 앞에서 이동시키는 일이 없습니다.

그림119. 차를 갈을 때는 빈 잔을 먼저 아래로 내리고 새차를 올립니다.

111 차를 갈아 놓을 때

— 상담 중에 새 손님이 왔을 때는 차를 새 잔에 준비해야 합니다.

— 상담이 오래 계속될 때는 차나 생수를 새로 준비합니다.

— 차를 갈아 놓을 때는 빈 잔을 내려놓고 준비해 온 차를 올립니다. 이때 빈 잔을 새차가 놓인 쟁반에 함께 놓지 마십시오.

— 다시 차를 올릴 때는 대화의 맥이 끊어지지 않도록 시기를 잘 맞추어서 자연스럽게 차를 바꿔놓도록 합니다.

— 마지막으로 차를 내고 나서 20분이나 30분 정도 지나면 다시 나가서 빈 잔을 치우도록 합니다.

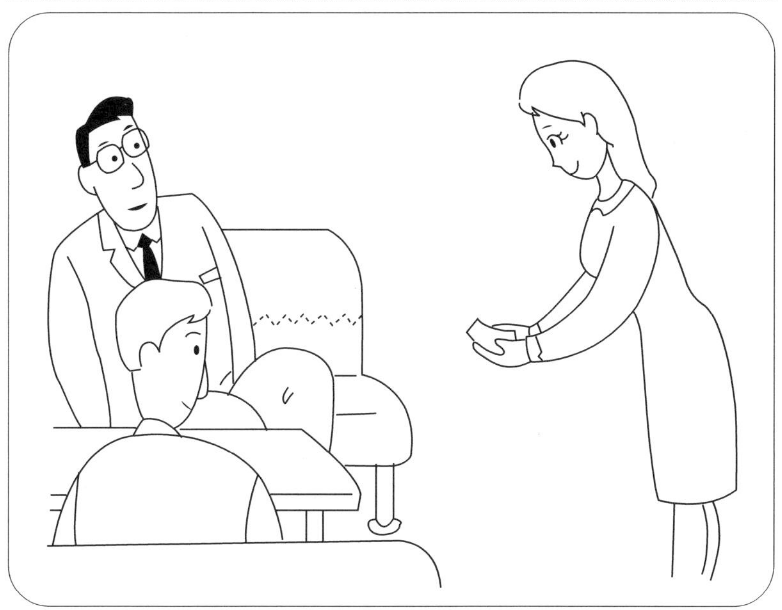

그림120. 상사가 상담중일 때는 죄송하다는 말을 하면서 메세지를 전해줍니다.

112 상담중 용건을 전달할 때

— 손님과 상담중인 상사에게 말을 전할 때는 회사의 업무에 관한 내용이 손님에게 알려지지 않도록 말로 전하지 말고 반드시 메모를 써서 건네주도록 합니다.

— 메모를 전할 때는 먼저 손님에게 목례를 한 다음 상사에게 다시 목례를 하고, 상사의 뒤로 돌아가 공손하게 메모를 건네줍니다.

메모의 내용에 대해서 어떻게 처리하라는 상사의 지시를 받으면 목례를 한 다음에 다시 손님에게 목례를 하고 응접실을 떠납니다.

그림121. 손님이 떠날 때는 "수고하셨습니다." 하고 진심을 담아 인사합니다.

113 손님을 배웅할 때

— 회사와의 관계 또는 직책, 그때의 상황이나 시간에 의해서 손님을 배웅하는 방법은 각기 틀립니다.

— 일반적으로는 응접실의 입구에서 배웅하지만, 손님의 회사에 대한 중요성에 따라 특별히 엘리베이터 앞, 회사의 정문, 또는 차가 보이지 않을 때까지 배웅하는 경우가 있습니다.

— 어떠한 경우에도, 정성을 다해서 배웅을 하십시오. "수고하셨습니다." "안녕히 가십시오." "실례하겠습니다." 등 분명하게 정중한 인사를 빠트리지 않도록 합시다.

그림122. 손님이 잊은 물건이 없도록 배려하십시오.

— 또한 손님이 돌아갈 때에는 우산 등 잊은 물건이 없도록 세세하게 배려하도록 합니다.

— 친절한 배웅은 손님의 기억에 오래 남습니다. 회사를 나간 후에도 좋은 대접을 받았을 때는 좋은 인상을 가지게 됩니다.

— 손님이 아직 문밖에서 듣고 있는데도 당신은 그가 돌아갔다고 생각하고 동료들에게 그 손님의 인상이나 쓸데없는 이야기를 하면 안됩니다. 손님이 그 말을 듣는 순간 지금까지의 모든 상담은 물거품이 될 수도 있으니까요.

제17장 문서취급 요령

114 우편물 취급

— 회사에는 매일 많은 우편물이 배달됩니다. 그리고 당신의 회사에서도 거래처나 손님에게 많은 우편물을 보냅니다. 회사의 업무에서 우편물은 매우 중요한 업무입니다.

— 매일 우편물을 분류하여 편지의 주인에게 전달합니다.

— 비즈니스용 편지는 고쳐쓰는 것이 허락되지 않습니다. 고객의 주소를 쓰거나 서류를 보낼 때는 정확하게 해야 합니다.

— 당신이 서툰 글씨로 편지를 쓴다면 그것은 상대방에게 결례가 됨은 물론 회사의 이미지를 상할 수도 있으니 주의해야 합니다.

그림123. 당신이 쓰는 편지는 곧 회사의 편지입니다. 깨끗하게 쓰도록 합시다.

115 편지를 쓸 때

— 회사의 편지는 오래 보존하는 경우가 많습니다. 따라서 처음부터 끝까지 되풀이하여 읽게 되고, 많은 사람들이 돌려서 보는 경우가 있으므로 깨끗하게 써야 합니다.

— 따라서 필체에 자신이 없을 때는 손으로 쓰는 것보다 타자나 컴퓨터로 작성하는 것이 좋습니다.

— 편지는 통상적인 서식에 의거하여 씁니다. 특히 업무용 편지는 군더더기가 없도록 간단하게 써야하고 받는 사람에게 의미가 명확하게 전달되도록 합니다.

그림124. 편지는 타자나 컴퓨터로 작성하는 것이 좋습니다.

— 업무용 편지는 정중하게 읽기 쉬운 글자로 쓰도록 합니다. 사투리나 약어, 또는 저속한 표현을 쓰지 말고 받는 쪽에서 편지의 요점을 알기 쉽게 써야 합니다.

— 편지에는 경어나 경칭 등을 정확히 구분하여 써야 합니다. 또한 오자나 탈자 등이 있어서는 안 됩니다. 모르는 단어는 반드시 사전을 찾아서 확인한 다음 쓰도록 합니다.

— 업무용 편지는 증거나 기록의 역할이 있습니다. 별도의 지시가 없더라도 반드시 복사본을 만들어서 〈보관본〉이라고 표시를 한 뒤에 따로 보관합니다.

그림125. 진심을 담아 쓴 편지는 상대방에게 그 마음이 전해집니다.

116 봉투를 쓰는 법

— 편지봉투에는 세로로 쓰는 것과 가로로 쓰는 것 2가지 종류가 있으며 크기도 여러 가지입니다. 그러나 봉투를 쓰는 요령은 모두 같습니다.

— 주소는 두 줄 내로 글자의 배치를 생각하고 씁니다. 행정구역 단위로 줄을 바꾸고, 번지는 한 줄에 쓰도록 합니다.

— 수신인 이름은 봉투의 중앙 주소의 아래쪽에 큰 글자로 또박또박 정확하게 씁니다.

— 아래쪽 우편번호란에 수신처의 우편번호를 정확히 기입하고 봉투를 봉합니다.

그림126. 우편물은 부서별로 분류하고 속달은 수신인에게 즉시 전합니다.

117 문서를 접수할 때

— 회사에 도착하는 여러 가지 문서는 해당 부서별로 분류하여 즉시 전달합니다. 특히 등기우편물이나 특급우편물은 지정된 수신인에게 안내하여 수령하도록 합니다.

— 잡지나 안내서, DM 신문 등 여러 사람이 구독하는 인쇄물은 정해진 곳에 비치하도록 합니다.

— 지정 수신인이 없이 자신의 부서에 온 편지는 개봉을 하여 읽어본 후에 담당자에게 전달해도 무방합니다.

제18장 문서의 정리

118 정보를 분류한다

— 정보화 사회에서는 수 많은 정보가 넘치고 있습니다. 당신은 그 정보를 알기 쉽게 분류하여 회사에서 필요할 때 바로 사용할 수 있도록 해야 합니다.

— 회사에 필요하지 않다고 생각되는 하찮은 정보들이라도 적극적으로 모으는 습관을 갖도록 합니다. 그 정보들은 자신에게도 큰 도움이 될 것입니다.

— 정보들은 각각 그 종류에 따라 알맞게 자르거나 복사 또는 인쇄물 전체를 스크랩을 하거나 파일에 묶거나 철해 두도록 합니다.

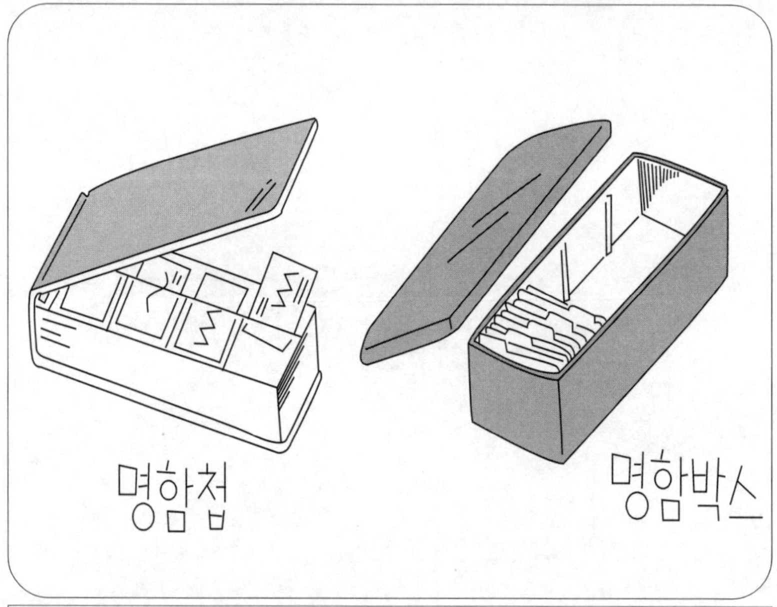

그림127. 명함은 지정된 명함철이나 정리함에 깔끔하게 정리합니다.

119 명함의 정리

— 명함을 명함첩이나 명함상자를 준비하여 잘 정리해 두면 그만큼 인간관계에 대한 목록 역할을 할 수 있게 됩니다.

— 명함에는 세로형, 가로형 등이 있으며, 크기도 다르고 색깔이나 디자인에도 개성이 뚜렷하여 깔끔하게 정리하기가 쉽지 않습니다.

— 명함은 가나다 순으로 분류합니다. 그러나 성씨로 분류하는 것보다 회사명으로 분류하는 것이 가장 좋습니다.

— 그러나 명함에 기록된 주소나 직책, 직함 등은 때때로 바뀔 가능성이 많습니다. 때때로 체크하여 바꿔 주도록 합니다.

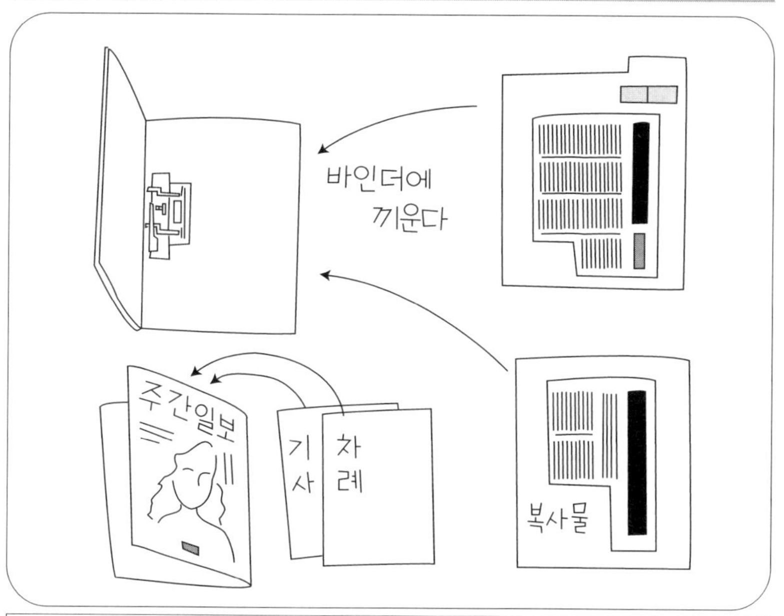

그림128. 신문 잡지는 철했다가 필요한 기사만 오려서 스크랩을 합니다.

120 신문과 잡지의 정리

— 신문이나 잡지는 매일 필요한 기사만 오려 따로 대지에 붙여서 신문명과 날자를 써놓고 바인더로 파일을 만들어 둡니다.

— 오랜 기간 보존할 경우에는 축소 또는 확대 복사를 하여 파일을 만듭니다. 정리하는데 가장 효과적인 방법입니다.

— 필요한 기사가 여러 장 있는 경우에는 그 부분만을 빼내어서는 목차와 표지와 함께 스테이플로 묶어서 보관합니다.

— 잡지는 표지와 목차만을 정리해서 파일을 해 두면 나중에 잡지의 지난호에서 필요한 정보를 쉽게 찾을 수 있습니다.

- 끝 -

신입 여사원이 알아야 할
120가지 직장생활 가이드

초판인쇄……2000년 2월 1일

초판발행……2000년 2월 5일

지은이………편 집 부

발행인………김 인 종

발행처………도서출판 남도

주　소………서울 강동구 천호동 451 산경빌딩 5층

우편번호……134-023

전　화………(02) 488-2923 (대)

FAX ………(02) 473-0481

M-mail……namdoco.@ hitel.net

등록번호……제1-73호 (1978. 6. 26)

ISBN 89-7265-272-5

정가 7,000원